Universität Bielefeld

Fakultät für Gesundheitswissenschaften
School of Public Health
WHO Collaborating Center

# Volkskrankheit Depression

Masterarbeit zur Erlangung des Grades

Master of Health Administration

Vorgelegt von

Christian Betschel

Darmstadt, 28.01.2009

# Inhaltsverzeichnis

Seite

# 1. Einleitung

## 1.1 Einführung in die Problemstellung und Zielsetzung der Masterarbeit

Depressive Verstimmung, Traurigkeit und Leiden gehören phasenweise zu jedem Menschenleben. Niemand wird davon ausgenommen; jedoch reagiert jeder Mensch unterschiedlich. Mancher nimmt „eine schwierige Zeit" klaglos hin und ein anderer trägt seine Gefühle nach außen. Das Auf und Ab der menschlichen Empfindungen ist meist ein vorübergehender Zustand, der völlig natürlich kommt und wieder verschwindet. Trauer und Melancholie, um nur zwei geläufige Begriffe zu nennen, können jedoch auch krankhaft werden. Wenn Intensität, Dauer und Häufigkeit dieser Phasen immer ausgeprägter werden, können sie in einer Depression münden. Ziel dieser Masterarbeit ist eine gesundheitswissenschaftliche Darstellung der Depression in der heutigen Gesellschaft.

Hierzu werden aktuelle epidemiologische Untersuchungen zur Häufigkeit der Depression in Deutschland vorgestellt. Die ermittelten Fallzahlen veranlassen, sowohl in der öffentlichen Berichterstattung, als auch in der Fachliteratur, immer mehr Autoren zur Verwendung des Ausdrucks „Volkskrankheit" als Umschreibung für die Brisanz des Themas und die Ausmaße der Verbreitung in der Bevölkerung. Die Masterarbeit geht der Frage nach, inwieweit der Begriff in diesem Zusammenhang gerechtfertigt scheint und von welcher gesellschaftlichen und volkswirtschaftlichen Relevanz nach Auswertung der Literatur auszugehen ist.

Die Arbeit stellt ebenfalls dar, welche Theorien die Wissenschaft zur Entstehung der Depression diskutiert. Die Entwicklung des Umgangs mit dieser Krankheit wird in einen historischen Kontext gestellt und es wird gezeigt, wie die jeweiligen gesellschaftlichen Einflüsse die Ansichten der Bevölkerung über die Depression und der daran erkrankten Menschen geprägt haben. Sie stellt aktuelle wissenschaftliche Ergebnisse zu den Ursachen vor und zeigt die gängigen Therapiemöglichkeiten auf.
Ferner wird verdeutlicht, wie heutige Betroffene und ihr Umfeld mit der Depression umgehen. Dabei wird aufgezeigt, welche Fortschritte im Umgang mit der Erkrankung gegenüber früheren Zeiträumen festgestellt werden können.

Eine Auffälligkeit in allen epidemiologischen Untersuchungen neueren Datums liegt in den Geschlechterunterschieden. Demnach sind Frauen stärker von Depressionen betroffen als Männer. Hierzu werden in der Literatur Erklärungsansätze diskutiert, die in dieser

Masterarbeit besprochen werden. Ein weiteres Ziel ist somit die Darstellung dieser Unterschiede und ihrer Auswirkungen.

Ein wichtiger Punkt hierbei ist die Erläuterung des geschlechtstypischen Verhaltens von Männern und Frauen. Die Masterarbeit thematisiert, ob diese Unterschiede für die Inanspruchnahme von Hilfe und für die Behandlung förderlich oder hinderlich sind.

Es wird die Frage aufgeworfen, ob die Erkenntnisse aus den dargestellten Fragestellungen bei Präventionskampagnen und Ansprache der Betroffenen Berücksichtigung finden. Hierzu werden zwei Kampagnen betrachtet.

## 1.2 Aufbau der Masterarbeit

In Kapitel zwei wird der theoretische Hintergrund zu diesem Thema beleuchtet, die Depression im Sinne dieser Arbeit definiert und die Symptome gemäß dem Diagnoseschema ICD 10 vorgestellt. Das Bundesgesundheitssurvey 1998 und neuere Studien großer Krankenkassen und deren Verbände zeigen erhebliche Steigerungen der Fallzahlen.

Kapitel drei steht im Zeichen des historischen Verständnisses der Depression. Die Entwicklung zur Volkskrankheit wird nachgezeichnet und die gesellschaftlichen Zusammenhänge in Verbindung mit der Krankheit erläutert.

Der Bedeutung des Begriffs der Volkskrankheit und dem Vergleich der Depression mit den Krankheiten Diabetes mellitus Typ 2 und Koronarer Herzkrankheit widmet sich Kapitel vier.

Kapitel fünf geht auf die Ursachen für die Entstehung der Krankheit ein. Diese lassen sich in übergeordneten, kollektiven Zusammenhängen und individuellen Sichtweisen des einzelnen Menschen erläutern.

Die Diagnose wird in Kapitel sechs thematisiert. Die Zuverlässigkeit der Diagnosestellung ist zu hinterfragen, da eine erhebliche Dunkelziffer vermutet wird.

Theoretische Modelle des Krankheits- und Therapieverlaufes einer Depression werden in Kapitel sieben vorgestellt. Besprochen werden psychologische und psychosoziale Modelle. Diese Therapieverfahren sind hinsichtlich ihres Geschlechteraspektes und ihrer wissenschaftlichen Anerkennung gut untersucht. Die stark naturwissenschaftlich geprägten biologischen Depressionsmodelle sind etwas kürzer gefasst.

Begleiterkrankungen und Konsequenzen der Depression sind Thema des Kapitels acht. Körperliche Komorbiditäten sind häufig anzutreffen. Süchte sind vorwiegend bei Männern verbreitet. Auch Erschöpfung ist für Depressionen typisch. Ein Teil der Depressionen enden mit Suizid, vor allem bei Männern.

Dem Geschlechteraspekt zu den Auswirkungen von Depressionen bei Männern und Frauen widmet sich Kapitel neun, indem Forschungen zu den Eigenschaften von Männern und Frauen vorgestellt werden. Aus ihnen ergibt sich das Bild der „männlichen Depression".

In Kapitel zehn wird die Frage gestellt, wie Depressionen speziell bei Männern verhindert werden können. Dazu gehören männerspezifische Gesundheitsstrategien. Vorgestellt werden die theoretischen Konzepte der Psychohygiene und der Salutogenese.

Neben Präventionskonzepten ist die Aufklärungsarbeit wichtig. Ein Vergleich der aktuellen Europäischen mit der US-amerikanischen Kampagne schließt das Thema inhaltlich ab.

Die Ergebniszusammenfassung, das Resümee und die Benennung des weiteren Forschungsbedarfes folgen in Abschnitt elf.

## 2. Theoretischer Hintergrund

In diesem Kapitel wird zunächst beschrieben, welche beiden Klassifikationssysteme für die Depression verwendet werden und worin die wesentlichen Unterschiede bestehen. Thematisiert werden die Schwierigkeiten in der Klassifikation der Krankheit. Daraus ergeben sich erste Hinweise, warum Männer in der Krankheitsstatistik der Depression seltener geführt werden. In diesem Zusammenhang wird die Depression im Sinne dieser Arbeit definiert und mit ihren Symptomen vorgestellt. Das Kapitel schließt mit einem Blick auf die epidemiologische Entwicklung der vergangenen zehn Jahre in Deutschland.

### 2.1 Klassifikationen der Depression

Die Operationalisierung und Objektivierung von psychischen Erkrankungen, und damit auch der Depression, anhand fester Kriterien zu einem Katalog ist ein noch junges Unterfangen im deutschsprachigen medizinischen Raum. Erst 1980 begann die Ärzteschaft ein Klassifikationssystem in deutscher Sprache zu entwickeln, um diese Krankheiten einheitlich zu beschreiben. Bis zu diesem Zeitpunkt war die Wissenschaft eher an einzelnen und schweren Krankheitsverläufen mit Klinikaufenthalt interessiert (Simhandl. u. Mitterwachauer, 2007, S. 1).

Zunächst begann die Entwicklung eines elaborierten Diagnoseschemas mit 180 Krankheiten, basierend auf dem US-amerikanischen *Diagnostic and Statistical Manual of Mental Disorders* (DSM) der *American Psychiatric Association*. 1982 war das deutschsprachige DSM fertig gestellt, konnte sich jedoch nicht durchsetzen[1]. Es wurde durch die Weltgesundheitsorganisation (*World Health Organisation* – WHO) in das System *International Classification of Diseases* – ICD überführt. Dieses ist inzwischen das verbindliche kategoriale Diagnosesystem für die Gebührenabrechnung in Deutschland. Seit 1992 wird ICD 10 verwendet (Hoffmann u. Schauenburg, 2009, S. 2).

Als wesentlicher Unterschied beider Systeme gilt, dass der ICD 10 die Diagnose nur beschreibt, während das DSM-IV auch etwas stärker die Ursachen berücksichtigt (Neumann u. Dietrich, 2005, S. 22). Als Schwächen beider Systeme im Zusammenhang mit der Depression ist anzuführen, dass ethische, kulturelle und Geschlechterunterschiede keinen Niederschlag finden und die Abgrenzung einzelner psychischer Störungen immer wieder zu Diskussionen führt. Die Autoren des DSM-IV mahnen daher auch an, dass es sich nur um eine Richtlinie handelt, die einen Konsens widerspiegelt (Wolpert 2008, S. 46).

---

[1] Im amerikanischen Raum ist die aktuelle Version DSM-IV weiter in Gebrauch.

An zwei Beispielen soll deutlich werden, warum Mediziner sich lange Zeit schwer taten, ein Klassifikationssystem einzuführen: Zahlreichen Komorbiditäten und Überlappungen der Symptome machen jede Diagnosefindung schwierig. Beispielsweise ist die Angst eine eigenständige Krankheit. Demnach ist sie kein Symptom der Depression, obwohl sie in der Regel damit einhergeht und beide Klassifikationen teilweise identische Symptome aufweisen. Der Arzt jedoch muss entscheiden: Überwiegt die Angst oder die Depression? Auch übermäßiger Alkoholkonsum ist kein Symptom der Depression. Dennoch sind viele Alkoholkranke depressiv. Psychische Störungen durch Alkohol waren 2007 sogar die häufigste Einzeldiagnose bei stationärem Aufenthalt von Männern (BKK-Bundesverband 2008, S. 117). Meist werden sie ausschließlich als Suchtkranke in der Statistik geführt, nicht als an Depression erkrankte. Letzteres gilt als einer der Gründe, warum Männer bei Depressionen unterrepräsentiert sind. Dies wird in Abschnitt 8.2 noch vertieft.

Ungeachtet der Schwierigkeiten, hat sich dennoch ein sehr breites Spektrum an anerkannten depressiven Erkrankungen entwickelt (Tölle 2000, S. 9). Im allgemeinen Sprachgebrauch wird der Begriff unspezifisch im Sinne einer Minderung der Befindlichkeit oder emotionaler Beeinträchtigung verwendet (Müller u. Volz 2006, S. 9). Diese Gefühle haben in der Regel keinen Krankheitswert, d. h. es handelt sich nicht um eine Depressionen im medizinischen Sinne. Für die Eingrenzung des Themas ist es daher wichtig sich auf eine Definition festzulegen, welche die Bedeutung der medizinischen Depression ausdrückt.

Für diese Arbeit relevant ist die so genannte „depressive Episode" des ICD-Code F32. In der Literatur wird auch der englische Begriff „Major Depressive Episode" angeführt. Sie gehört zu den drei Krankheiten der unipolaren Störungen[2], welche wiederum ein Krankheitsbild aus der Hauptgruppe der affektiven Störungen sind. Das Deutsche Institut für Medizinische Dokumentation und Information definiert im ICD 10 – GM Version 2009 die Krankheit wie folgt:

„Bei den typischen leichten (F32.0), mittelgradigen (F32.1) oder schweren (F32.2 und F32.3) Episoden, leidet der betroffene Patient unter einer gedrückten Stimmung und einer Verminderung von Antrieb und Aktivität. Die Fähigkeit zur Freude, das Interesse und die Konzentration sind vermindert. Ausgeprägte Müdigkeit kann nach jeder kleinsten Anstrengung auftreten. Der Schlaf ist meist gestört, der Appetit vermindert. Selbstwertgefühl und Selbstvertrauen sind fast immer beeinträchtigt".

---

[2] In Abgrenzung zur bipolaren Störung, bei der sich depressive und manische Zustände abwechseln. Weitere unipolare Störungen sind die Dysthymien und Anpassungsstörungen.

Die depressive Episode stellt die weitaus häufigste Störungsform affektiver Erkrankungen dar (Hoffmann u. Schauenburg 2000, S. 6). Von einer Episode wird gesprochen, weil sie nur eine vorübergehende Zeit andauert (ohne Behandlung meist sechs bis zwölf Monate) und danach zeitweise (oder in seltenen Fällen auch für immer) wieder verschwindet (Müller u. Volz 2006, S. 11). Sie beinhaltet keine zusätzlichen psychiatrischen Erkrankungen, wie Manie, Psychose oder Schizophrenie, was in der folgenden Grafik verdeutlich wird.

Rudolf (2000, S. 60) hat folgenden Entscheidungsbaum für Ärzte zur Eingrenzung der Diagnose entwickelt.

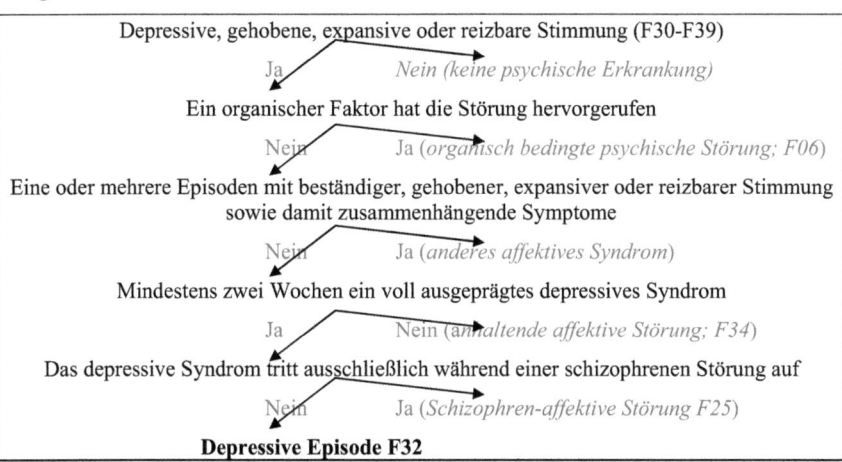

*Abbildung 1: Entscheidungsbaum zur Abgrenzung der Diagnose Depression; eigene Darstellung in Anlehnung an Rudolf (2000, S. 60).*

Mit einer weltweiten durchschnittlichen Prävalenz von 10% ist die depressive Episode die häufigste psychische Erkrankung. Es wird davon ausgegangen, dass sie im Jahr 2020 in der Liste der häufigsten Erkrankungen insgesamt an zweiter Stelle stehen wird. Die Suizidrate beträgt etwa 5%, d. h. jeder 20. betroffene Mensch wird sein Leben auf diese Weise beenden (Hell 2007, S. 58)[3]. Daher soll der Fokus dieser Arbeit speziell auf der depressiven Episode liegen.

Bei der Betrachtung der Literatur fällt auf, dass die „depressive Episode" ein rein theoretischer Begriff ist. Außerhalb des Klassifikationsschemas findet er kaum Verwendung. Geläufig ist stattdessen, im Volksmund ebenso wie in der Fachliteratur, das Wort *Depression*. Daher soll es auch in dieser Arbeit verwendet werden, wenngleich die depressive Episode gemeint ist.

---

[3] Hierzu gibt es unterschiedliche Forschungsergebnisse, auf die in Abschnitt 8.4 ausführlich eingegangen wird.

## 2.2. Hauptsymptome und Zusatzsymptome der Depression

An dieser Stelle ist zu klären, was unter einer Depression zu verstehen ist. Um die Bedingungen zu erfüllen, muss eine bestimmte Anzahl von gleichzeitig vorhandenen Symptomen vorliegen, die mindestens zwei Wochen andauern und nicht durch anderweitige Erkrankungen bzw. Umstände erklärbar sind. Trauer, z. B. aufgrund eines Todesfalls, wäre ein solcher erklärbarer Umstand. Somit wird deutlich dass z. B. eine Trauerreaktion keine Depression ist; auch wenn therapeutische Hilfe in Anspruch genommen wird (Tölle 2000, S. 11).

Depressionen äußern sich in Haupt- und Zusatzsymptomen. Die nachfolgende Abbildung beschreibt diese konkret. Aus der unterschiedlichen Häufung der Symptome ergibt sich eine Einteilung nach Schweregraden (Neumann u. Dietrich 2005, S. 22).

| Kriterien der depressiven Episode nach ICD – 10 | | |
|---|---|---|
| | **Hauptsymptome** | **Nebensymptome** |
| | - gedrückte Stimmung | - Verminderte Konzentration und Aufmerksamkeit |
| | - Interessenverlust, Freudlosigkeit | - Vermindertes Selbstvertrauen und Selbstwertgefühl |
| | - Verminderung des Antriebs | - Negative pessimistische Zukunftsperspektiven |
| | | - Suizidgedanken, Selbstverletzungen |
| | | - Schuldgefühle und Gefühl von Wertlosigkeit |
| | | - Schlafstörungen |
| | | - Verminderter Appetit |
| **Schweregradeinteilung** | **Erfüllte Kriterien** | **Erfüllte Kriterien** |
| Leichte depressive Episode | 2 | 1-2 |
| Mittelgradig schwere Episode | 2 | 3-4 |
| Schwere depressive Episode | 3 | mehr als 4 |

*Abbildung 2: Kriterien der depressiven Episode nach ICD 10, eigene Darstellung.*

Nachfolgend soll kritisch auf dieses Diagnoseschema eingegangen werden. Hell (2007, S. 89) merkt dazu an, dass damit die Schwelle für Depressionen insgesamt herabgesetzt wurde. Demnach werde heute jegliches Leiden pathologisiert, anstelle Leid und Not als natürliche menschliche Herausforderung zu sehen. In diesem Sinne würden heute nur noch die Symptome behandelt. Stattdessen sei der Depression als soziales Problem durch eine andere Gesellschaftspolitik zu begegnen.

Kaspar (2001) hält das Kriterienschema im Hinblick auf die Diagnosestellung bei Männern für ungenügend. Männer drücken ihre Depression anders aus und dies wird durch die zur Verfügung stehenden Symptome in der Tabelle nicht ausreichend erfasst. Als Beispiele nennt er reduzierte Impulskontrolle, vermehrten Ärger oder Aggressivität bei Männern mit Depression. Die vorhandenen Symptome seien dagegen zu stark an Frauen orientiert. Insofern sei die Geschlechterverteilung in der Epidemiologie der Depression künstlich erzeugt.

## 2.3 Epidemiologische Bedeutung

Die Epidemiologie beschreibt das Studium der Häufigkeit und der Veränderung von Krankheiten im Laufe der Zeit und im Vergleich zwischen verschiedenen Bevölkerungsgruppen (Krech et. al.1992, Band 6, S.102). In der Literatur, z. B. bei Becker et. al. (2008, S. 31), wird durch aktuelle epidemiologische Befunde eine erhebliche und anhaltende Belastung der Bevölkerung durch psychische Erkrankungen gesehen. Verschiedene Anhaltspunkte deuten auf eine Zunahme der Prävalenz hin. Diese These soll anhand mehrerer Untersuchungen überprüft werden. Betrachtet wird hierzu die Entwicklung der vergangenen zehn Jahre. Es sei darauf hingewiesen, dass einzelne Statistiken psychische Erkrankungen nicht immer sauber voneinander trennen; d. h. die Depression nicht separat ausweisen. Dennoch können sie aufschlussreiche Informationen für diese Arbeit enthalten. Im Einzelfall wird jeweils darauf hingewiesen.

### 2.3.1 Bundesgesundheitssurvey 1998

Im Rahmen des Bundesgesundheitssurveys 1998/99 und dessen Zusatzsurveys *Psychische Störungen* wurde eine repräsentative Stichprobe der deutschen Allgemeinbevölkerung erstmals umfassend erfasst. Die Ergebnisse ermöglichen eine verlässliche Prävalenzabschätzung für die Bundesrepublik Deutschland (Wittchen 1999, S. S216). Bis zu diesem Zeitpunkt wurde die Datenlage zur Häufigkeit psychischer Störungen von Experten als mager und unbefriedigend empfunden (Jacobi 2004, S. 739). Depressionen wurden im Bundesgesundheitssurvey in der Gruppe der „Affektiven Störungen" gefasst[4]. Das Ergebnis zeigt eine Verbreitung von 6,3% ausschließlich affektiver Störungen über alle Altersgruppen (zwischen 18 und 65 Jahren) in Deutschland. Vollständig eingeschränkte Arbeitsproduktivität war im Mittel an 1,3 Tagen pro Monat die Folge. An 7,2 Tagen pro Monat war dies bei teilweise eingeschränkter Arbeitsproduktivität der Fall. Frauen waren signifikant häufiger betroffen als Männer. Abbildung 2 zeigt die detaillierten Ergebnisse:

| Frauen | | Männer | | Quotenverhältnis (Odds ratio) Frauen vs. Männer |
|---|---|---|---|---|
| Alter | Verteilung | Alter | Verteilung | |
| Gesamt | 7,82% | Gesamt | 4,75% | 1,69 |
| 18-35 | 5,57% | 18-35 | 4,08% | 1,39 |
| 36-45 | 7,78% | 36-45 | 3,40% | 2,40 |
| 46-65 | 9,89% | 46-65 | 6,24% | 1,65 |

*Abb. 3: Prävalenz des Jahres 1998 von affektiven Störungen in den letzten vier Wochen in Deutschland nach Alter und Geschlecht; eigene Darstellung (Quelle: Wittchen 1999, S. S220).*

---

[4] Die Häufigkeit depressiver Episoden in der Gruppe der Affektiven Störungen wird anhand des DAK-Gesundheitsberichts 2005 in Abschnitt 2.3.2 belegt.

Besonders in der Gruppe der 36-45 jährigen differieren die Geschlechter stark von einander. Frauen sind hier 2,4-mal so häufig betroffen; im Gesamtschnitt 1,69-mal häufiger.

### 2.3.2 Studien von Krankenkassen 2004 - 2008

Die Barmer Ersatzkasse veröffentlichte im Mai 2008 (Presseinformation, S. 2ff) eine Analyse ihrer Mitgliederdaten zu Personen, die als depressiv diagnostiziert wurden. Die Zahlen stellen sich im Zeitverlauf wie folgt dar:

| Jahr | Anteil Depressiver Erkrankung bei allen Barmer- Versicherten | entspricht Anzahl Versicherter | Anteil Depressiver Erkrankungen nur weiblicher Barmer- Versicherten |
|------|------|------|------|
| 2004 | 4,70% | 120.000 | 11,90% |
| 2006 | 6,10% | 150.000 | 14,60% |

*Abbildung 4: Depressive Erkrankungen bei Versicherten der Barmer- Ersatzkasse 2004 - 2006 (eigene Darstellung).*

Die Ergebnisse weisen auf ein Wachstum von ca. 20% bei der Versichertenklientel der größten Krankenkasse in Deutschland hin; auch wenn berücksichtigt werden muss, dass die Barmer in diesen Jahren, insgesamt betrachtet, Mitglieder verloren hat. Frauen waren dabei stärker vertreten als Männer. Im gleichen Zeitraum stiegen die Verordnungszahlen für Psychotherapie bei Männern um 8,5% und für Frauen um 16% an (nicht in der Abbildung enthalten). Die Barmer-Studie betont das Problem der „lavierten" Depression[5], welche sich zunächst hinter einem organischen Leiden versteckt: Bei 23% aller Barmer-Versicherten, die in einem Jahr die Diagnose „Rückenschmerzen" gestellt bekamen, wurde im selben Jahr auch eine Depression diagnostiziert. Es muss jedoch darauf hingewiesen werden, dass die Studie sich hier nicht korrekt ausdrückt, denn eine *lavierte* Depression gibt es nicht. *Laviert* bedeutet lediglich eine phänomenologische Charakterisierung eines auf Depression verdächtigen Krankheitsbildes, welches in allen Depressionsformen auftreten kann (Rudolf 2000, S. 136f). Die Studie schließt mit der Feststellung, dass "die Depression eine Volkskrankheit mit zunehmender Bedeutung für die Krankenkassen" sei.

Die Innungskrankenkassen (IKK) legten im September 2008 ihren Jahresbericht „Arbeit und Gesundheit im Handwerk" vor. Datenbasis waren 2,5 Mio. ganzjährig beschäftigte Pflichtversicherte mit Anspruch auf Entgeltfortzahlung. Während im Jahr 2007 bei den drei großen Haupterkrankungsarten im Handwerk (Muskel/Skelett, Verletzungen, Atemwege) eine

---

[5] Bei der „lavierenden" Depression wird diese, z. B. aus Scham, verleugnet und in Form unverdächtiger physischer Symptome präsentiert (Haubl 2007, S. 16).

rückläufige Anzahl von Arbeitsunfähigkeitstagen im Zehnjahresvergleich zu verzeichnen war, nahmen psychische Erkrankungen zu[6].

Die Größenordnung zeigt die folgende Abbildung:

| Jahr | Muskel/Skelett | Verletzungen | Atemwege | Psyche |
|------|----------------|--------------|----------|--------|
| 1997 | 474 | 435 | 259 | 67 |
| 2007 | 363 | 247 | 200 | 97 |

*Abbildung 5: Anzahl der Arbeitsunfähigkeitstage pro 100 Versichertenjahre nach ausgewählten Krankheitsarten 1997 – 2007 (Quelle: IKK-Bundesverband 2008, S. 20); eigene Darstellung.*

Werden die Arbeitsunfähigkeitstage (AU-Tage) nach Geschlecht differenziert, zeigt sich folgendes Bild: Männer dominieren organische Erkrankungen, Frauen sind jedoch bei psychischen Erkrankungen stark vertreten. Die nachfolgende Abbildung zeigt Anteile wichtiger Krankheitsarten an den AU-Tagen im prozentualen Verhältnis: Männer führen bei Muskel- und Skeletterkrankungen. Bei Atemwegserkrankungen kehrt sich das Verhältnis leicht um (+ 23%). Bei psychischen Erkrankungen ist der Unterschied jedoch massiv. Hier führen Frauen die Statistik mit doppelt so vielen Falltagen an.

| Geschlecht | Muskel/Skelett | Verletzungen | Atemwege | Psyche |
|------------|----------------|--------------|----------|--------|
| Männer | 28 | 22 | 13 | 5 |
| Frauen | 21 | 10 | 16 | 10 |

*Abbildung 6: Anteile der wichtigsten Krankheitsarten an den AU-Tagen nach Geschlecht 2007 in Prozent*
*(Quelle: IKK-Bundesverband 2008, S. 23); eigene Darstellung.*

Die Gründe für die gestiegene Bedeutung psychischer Erkrankungen sieht der IKK-Bundesverband in der allgemein angespannten Wirtschafts- und Arbeitsmarktlage, die sich auf die Gesundheit einzelner niederschlägt, als auch in einem geänderten Diagnoseverhalten der Ärzte, die Erkrankungsursachen inzwischen vermehrt im psychischen Bereich suchen (IKK-Bundesverband 2008, S. 21).

Der DAK-Gesundheitsbericht 2005 hat sich schwerpunktmäßig mit „Angst und Depression" beschäftigt. Die Daten der psychischen Erkrankungen am Versichertenkollektiv der DAK sind insgesamt in etwa vergleichbar mit den Ergebnissen des IKK-Systems und sollen daher hier nicht wiederholt werden. Interessant ist jedoch die Verteilung der Arbeitsunfähigkeitstage am Gesamtvolumen psychischer Erkrankungen. Wie bereits erwähnt, zählen Depressionen zur ICD-Gruppe der affektiven Erkrankungen. Das Ergebnis zeigt einen Anteil von 41% am Gesamtvolumen psychischer Erkrankungen. Weitere 41% entfallen auf neurotische

---

[6] Depressionen wurden in der Studie nicht separat erfasst.

13

Störungen, die ebenfalls häufig mit Depressionen auftreten, hier aber nicht näher betrachtet werden sollen.

**Diagnosegruppen am AU-Volumen psychischer Erkrankungen**

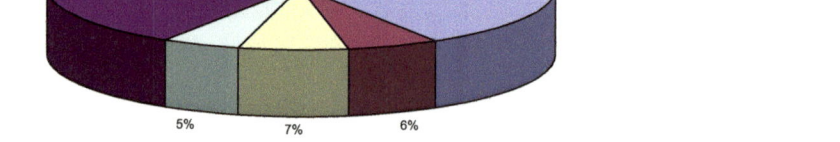

*Abbildung 7: Anteil der Diagnosegruppen am AU-Volumen aufgrund psychischer Erkrankungen bei DAK-Versicherten 2004 (DAK-Gesundheitsreport 2005, S. 60); eigene Darstellung.*

Werden die 41% affektive Störungen weiter aufgegliedert, ergibt sich ein Anteil von 35,8% der AU-Tage aufgrund einer depressiven Episode (ICD-Code F32) am Gesamtvolumen der psychischen Erkrankungen (in der Grafik nicht enthalten). D. h. etwa 87% der affektiven Erkrankungen sind depressive Episoden (DAK-Gesundheitsreport 2005, S. 62).

Der BKK-Bundesverband hat im Oktober 2008 neueste Zahlen zu den Entwicklungstrends bei psychischen Erkrankungen innerhalb des Versichertenkollektivs der deutschen Betriebskrankenkassen vorgelegt. Aufgrund der hohen Steigerungsraten psychischer Erkrankungen - die sich auch im BKK-System widerspiegeln – erhielt der Report in diesem Jahr den Schwerpunkt *Seelische Krankheiten prägen das Krankheitsgeschehen*. Die Zahlen haben sich in den letzten Jahren aus Sicht der Betroffenen extrem verschlechtert: Der Anteil der Arbeitsunfähigkeitszeiten von BKK Pflichtmitgliedern aufgrund psychischer Erkrankungen hat sich mit 9,3 % des Gesamtvolumens aller Krankheiten seit 1976 verfünffacht (BKK-Bundesverband 2008, S. 13).

Die Einzelauswertung zeigt, dass die Depression die psychischen Erkrankungen auch bei BKK-Versicherten dominiert. Insgesamt ist die Krankheit bei den Frauen auf Rang drei aller Erkrankungen mit 575,4 Arbeitsunfähigkeitstagen (AU-Tagen) zu finden. Männer verursachen deutlich weniger Tage und erreichen im Schnitt 302,8 AU-Tage. Dies entspricht dem vierten Rang in ihrer Geschlechtergruppe.

| Rangliste der wichtigsten Einzeldiagnosen nach AU-Tagen 2007 | | | |
|---|---|---|---|
| | **Frauen** | | |
| **Rang** | **ICD** | **Bezeichnung** | **AU-Tage je 1.000 Versicherte** |
| 1 | M54 | Rückenschmerzen | 885,3 |
| 2 | J06 | Atemwegsinfektionen | 596,5 |
| 3 | F32 | Depressive Episode | 575,4 |
| 4 | F43 | Anpassungsstörungen | 307,3 |
| | **Männer** | | |
| **Rang** | **ICD** | **Bezeichnung** | **AU-Tage je 1.000 Versicherte** |
| 1 | M54 | Rückenschmerzen | 1.233,6 |
| 2 | J06 | Atemwegsinfektionen | 528,3 |
| 3 | T14 | Verletzungen n. n. bez. Körperregionen | 308,6 |
| 4 | F32 | Depressive Episode | 302,8 |

*Abbildung 8: Rangfolge der wichtigsten Einzeldiagnosen bei Frauen und Männern nach AU-Tagen 2007 (BKK-Bundesverband 2008, S. 109); eigene Darstellung.*

Als Fazit wird festgehalten, dass die Fallzahlen der psychischen Erkrankungen im Allgemeinen und der Depression im Speziellen seit Jahren stark steigen, und zwar über verschiedene Auswertungen hinweg. Wann genau der Anstieg erstmals einsetzte, lässt sich nicht mehr bestimmen, da es vor 1998 an großen Studien mangelte. Haubl (2006, S. 12) hat die Ergebnisse zusammengefasst: Aktuell geht die Forschung je nach Studiendesign von einer Punktprävalenz (d. h. aktuell Erkrankte) von 8% bis 20% depressiv erkrankter Menschen in Deutschland aus. Die Lebenszeitprävalenz (d. h. irgendwann im Leben Erkrankte) beträgt bis zu 15% bei der depressiven Episode und bis zu 30% bei allen depressiven Erkrankungen. Die Rückfallquote nach der ersten depressiven Episode liegt bei knapp 90%.

Deutlich wird ebenfalls das Missverhältnis der Geschlechter: Frauen dominieren das Krankheitsbild Depression. Allerdings ist auch bei Männern die Tendenz steigend.

## 3. Historisches Verständnis der Depression: Eine Krankheit im Wandel

Es wurde im vorangegangenen Kapitel verdeutlicht, dass die Depression im Bezug auf Fallzahlen und Kosten eine hohe Bedeutung im deutschen Gesundheitssystem einnimmt. Ein weiterer wichtiger Aspekt für das Verständnis einer Krankheit ist eine Betrachtung aus dem historischen Blickwinkel. Die Geschichte der Depression soll daher in den wesentlichen Auszügen nachgezeichnet werden, um wichtige Stationen bei der Entwicklung zur Volkskrankheit deutlich zu machen. An verschiedenen Beispielen wird zudem gezeigt, dass Möglichkeiten nicht genutzt wurden, dieses Thema auch Männern nahe zubringen.

Die Depression war lange Zeit als Krankheit unbekannt und entsprechend in der Literatur nicht erwähnt. Stattdessen wurde meist von einer psychischen oder seelischen Erkrankung gesprochen. So soll auch in dieser Arbeit im Rückblick zunächst von psychischen Erkrankungen die Rede sein, bis eine Differenzierung in der Dokumentation möglich ist.

### 3.1 Bis Ende des Zweiten Weltkrieges: Die undefinierbare Krankheit

Schon seit dem Mittelalter fand eine medizinische Versorgung für Menschen mit psychischen Erkrankungen statt. Das Krankheitsbild war jedoch als solches noch völlig unbekannt (Becker et. al. 2008, S. 32). Erstmals wurden im 19. Jahrhundert Menschen mit seelischen Störungen in eigenen medizinischen Institutionen versorgt (ebd., S. 35). Von einem differenzierten Krankheitsbild wurde dennoch nicht gesprochen. Betroffene wurden als „Geisteskranke" tituliert, die stationären Einrichtungen als „Irrenasyle". Mediziner beschäftigten sich in ihren Forschungen ausschließlich mit schweren psychischen Krankheiten, die heute dem Spektrum der Manien und Schizophrenien zugeordnet werden (Simhandl u. Mitterwachauer 2007, S. 2). Aus heutiger Sicht ein nicht akzeptabler Zustand und doch schon der erste Fortschritt. Die Menschen in der frühen Neuzeit gingen davon aus, die Seele des psychisch kranken Menschen sei von einem Dämon besetzt und unheilbar (Ehrenberg 2008, S. 41). Bis in die 1940er Jahre war die Krankheit den „Gesunden" in der Bevölkerung fremd, was zur Folge hatte, dass sie ihnen Angst machte. Die Betroffenen wurden vom sozialen Leben ausgeschlossen und in ihrer Persönlichkeit rein auf ihre Krankheit reduziert. Diesen Effekt beschreibt Steger (2007, S. 24), indem er sagt, dass unter dieser „Urangst" der Bevölkerung, von Generation zu Generation weitergegeben, letztlich auch noch die heutigen Kranken leiden, wenn auch nicht mehr in dieser Ausprägung.

Da sich die Bevölkerung nicht mit der Depression auseinandersetzen wollte und die Medizin dies nur am Rande tat, blieb dies ein Betätigungsfeld der Philosophie und Literatur. Für das Krankheitsbild fanden sie das Wort „Melancholie", für den daran leidenden Menschen den *Typus melancholicus* (Engelhardt 1990, S. 26). Schopenhauer schrieb dazu „Es ist bemerkenswert, dass die Leiden und Qualen leicht so anwachsen können, dass selbst der Tod, in der Flucht vor welchem das ganze Leben besteht, wünschenswert wird und man freiwillig zu ihm eilt" (Schopenhauer 1977, zit. nach Engelhardt 1990, S. 187). Melancholie war hier das Privileg genialer Künstler und Denker (ebd., S. 191).

Ehrenberg (2008, S. 56) sieht in seinen Forschungen die Eisenbahnunglücke des 19. Jahrhunderts als Wendepunkte in der Wahrnehmung psychischen Leidens. Eisenbahnen galten zu dieser Zeit als Symbol der Modernität. Hierzu schreibt Ehrenberg: „Die Eisenbahn hat die moderne Vorstellung vom Unfall geprägt". Es wurde ein neuer Typus der Katastrophe geschaffen: Der technische bzw. industrielle Unfall[7]. Jenseits der physischen Verletzungen tritt ein neues Phänomen auf, welches die Forschung um Depressionen erheblich voranbringen wird: Die Betroffenen klagten über Leiden (z. B. Rückenbeschwerden, Kopfschmerzen, Amnesien und Lähmungen), die nicht auf körperliche Verletzungen zurückzuführen waren. Um 1870 setzt sich hierfür zunächst der Begriff *Hysterie* durch. Unklar blieb, was die Symptome hervorrief. Das Leiden des „leicht" Geisteskranken wird entdeckt.

Jedoch gibt es weitere Erklärungsansätze, wie sich die Depression ab dem 19. Jahrhundert ausbreitete: Es war auch die Zeit der gesellschaftlichen Transformation. Das einfache Volk ist nicht mehr an das Schicksal gebunden, in einer bestimmten Klasse, z. B. den Bauern, geboren zu sein. Der Beginn der Industrialisierung entwickelt die Chance auf Wohlstand; auch für einfache Bevölkerungskreise. Die Veränderung des psychosozialen Umfeldes verursacht jedoch Stress, der sich wiederum in Depressionen äußern kann (Ehrenberg 2008, S. 144f). Andere Studien gehen auf der Suche nach dem Ursprung der Depression noch weiter zurück. Preiter (2006, zit. n. Unger und Kleinschmidt 2007, S. 56ff) hat beschrieben, dass bereits bei den Primaten Depressionen vorkamen. Er beschreibt die Krankheit als psychischen Notfallkoffer für das Leben in sozialen Bezügen. Der depressive Primat hat sich in diesem Fall dem Diktat der Gruppe unterworfen, damit die Abläufe der Gruppe weiter funktionieren konnten.

---

[7] Im Gegensatz zu den bisherigen Unglücksformen der Naturkatastrophe oder des Krieges.

Letztlich lässt sich der Ursprung der Depression nicht klären. So vielfältig wie die Krankheit selbst, sind auch die Einflüsse ihrer Entstehung. Keine der Veröffentlichungen geht jedoch bei der Erklärung der Ursprünge auf den Geschlechteraspekt der Erkrankung ein. Dies kann im Umkehrschluss bedeuten, dass dies zur damaligen Zeit noch keine Rolle spielte. Die Entwicklung in Richtung einer Krankheit, an der scheinbar vor allem Frauen leiden, muss erst in jüngerer Zeit eingesetzt haben.

### 3.2 Seit den 1950er Jahren: Die Depression wird gesellschaftsfähig

Bis zum Ende des Zweiten Weltkrieges gab es keine spezifische medikamentöse Behandlung der Depression. Erst 1952 wurde der erste Wirkstoff *Chlorpromazin* entdeckt. Ursprünglich für Schizophrenie entwickelt, zeigte er stattdessen bei Depressionen Wirkung (Breyer-Pfaff 2005, S. 11). Die neuen Behandlungsmethoden mit Antidepressiva führten dazu, dass sich Psychiater in eigener Praxis niederließen. Auch für die Forschung war ein Anreiz geschaffen, sich des Themas weiterhin intensiv anzunehmen. 1955 beginnt ein pharmazeutischer Wettlauf. Konferenzen und Kongresse zum Thema vervielfachen sich (Ehrenberg 2008, S. 114). Shorter (1999, zit. nach Becker et. al. 2008, S. 38) beschreibt diese Phase als Revolution; eine Zeit in der gravierende psychische Probleme erklärt wurden. Jedoch gibt es hierzu unterschiedliche Auffassungen: Summer (2008, S. 45) sieht noch bis in die 1960er Jahr die Meinung der Wissenschaft über Depressionen in der Nähe der Simulation. Ehrenberg (2008, S. 99ff) beschreibt den Wendepunkt wie folgt: „Zwischen 1965 und 1970 wurde die Depression für die Allgemeinmediziner zu einer alltäglichen Erscheinung. Sie wurde gesellschaftsfähig und das psychische Leben trat aus seinem Schattendasein". Die Medien verringerten die Scham über die Leiden zu sprechen. Es wurde klar gestellt, dass die Depression auch den Gesündesten treffen kann. Die gesellschaftliche Legitimation, die Krankheit zu "haben", war geschaffen. Publikumszeitschriften nahmen sich des Themas an (ebd., S. 150). 1970 stellt Lehmann (1971, zit. nach Ehrenberg 2008, S. 142) auf einem Kongress fest: Die Depression wird zur am meisten verbreiteten Krankheit der Welt. Wissenschaftler warnten bereits 1972 vor dem inflationären Gebrauch des Wortes Depression.

Dennoch wurde versäumt, sich der Problematik auch aus der Geschlechterperspektive zu nähern. Ehrenberg (2008, S. 148f) hat die Entwicklung für Frankreich skizziert: Das Thema wurde der Öffentlichkeit überwiegend in Frauenzeitschriften nahe gebracht, wie in den Titeln *Marie Claire* (erster Grundlagenartikel 1963) und *Elle* (erster Grundlagenartikel 1965). 1972 erschien in Frankreich das erste Selbsthilfebuch einer Betroffenen *La Déprime* von Jaqueline

Michel. Zur Entwicklung in Deutschland liegen zu diesem Aspekt leider keine Untersuchungen vor. Es finden sich damit auch keine Hinweise, dass es in Deutschland eine andere Entwicklung gab. In Frankreich, wie in Deutschland, gab es bis Mitte der 1990er Jahre keine Zeitschriften für Männer, die sich mit eher „femininen" Themen beschäftigten oder diese aus Männersicht aufbereiteten. Erst später kamen Titel wie *Mens Health* heraus, die eine Depression aus Männersicht beschreiben konnten.

### 3.3 Jahrtausendwende: Depression als Volkskrankheit

Die Depression hat zur Jahrtausendwende einen Wandel durchlebt. Depression wird bis in die 1990er Jahre als etwas „anderes" betrachtet (selbst wenn es jeden treffen kann) und nicht als ganz normale Erkrankung. Deutlich wird dies beispielsweise in der Veröffentlichung von Helmchen und Rafaelsen aus dem Jahr 1992 (S. 29), in der sie die Bevölkerung mit den Worten beruhigen, die „Neigung" beträfe nicht mehr als 10% Lebenszeit der Betroffenen, „in mehr als 90% ihrer Tage sind sie wie wir alle".

Erst heute stellt sich Normalität auf hohem Niveau ein. Die Statistik zeigt zwar Unterschiede in den Geschlechtern der Betroffenen; dennoch kann die Depression als in der Mitte der Gesellschaft angekommen bezeichnet werden. Unger und Kleinschmidt (2007, S. 21ff) beschreiben „Depression als Arbeitsunfall der Moderne" und sehen die gesamte heutige Bandbreite der Arbeitnehmer betroffen, vom Arbeiter bis zum Akademiker.

## 4. Die Depression im Vergleich mit anderen Volkskrankheiten

Im vorangegangenen Kapitel wurde gezeigt, wie sich die Depression über mehrere Jahrzehnte hinweg in allen gesellschaftlichen Kreisen ausgebreitet hat. Aufgrund dieser Tatsache wird sie heute häufig im Zusammenhang mit dem Begriff Volkskrankheit genannt. Dem wird nun ein zweiter Aspekt in der Diskussion hinzugefügt: Der Vergleich mit anderen weit verbreiteten Krankheiten anhand von Krankheitskosten und verlorenen Erwerbstätigkeitsjahren. Hierzu liegen Daten des Statistischen Bundesamtes vor. Zu klären ist außerdem, was eine Volkskrankheit für die deutsche Volkswirtschaft bedeutet.

### 4.1 Was ist eine Volkskrankheit?

Aus der Bezeichnung ist zunächst ableitbar, dass ein großer Teil der Bevölkerung betroffen sein muss. Es ist davon auszugehen, dass dies in der Literatur entsprechend bestätigt wurde. Depression wird in Medien und Literatur häufig als Volkskrankheit tituliert. Verschiedene Beispiele mögen dies belegen, wie *Volkskrankheit Depression* (Springer Verlag – derzeit vergriffen) oder *StressDepression: Die neue Volkskrankheit und was man dagegen tun kann* (Verlag C. H. Beck). In der Wissenschaft findet eine Diskussion zu dieser Thematik statt, wie die Gesundheitskonferenz *Volkskrankheit Depression*[8] am 6. Dezember 2006 in München exemplarisch belegt. Die Bundesregierung sieht in der Depressionsbekämpfung ebenfalls ein so wichtiges Ziel, dass sie *Depressive Erkrankungen: Verhindern, früh erkennen, nachhaltig behandeln* zum sechsten nationalen Gesundheitsziel erklärt hat (Becker et. al. 2008, S. 25)[9]. Weitere Beispiele finden sich an anderen Stellen dieser Arbeit.

Allein dieses Argument könnte zwar Depression als Volkskrankheit begrifflich stützen, ist aber letztlich kein ausreichender Beleg. Denn es ist festzustellen, dass der Begriff Volkskrankheit in der Öffentlichkeit geradezu inflationär Anwendung findet und zwar für Dutzende von Krankheitsbildern. Die Abfrage *Volkskrankheit* in einer Internetsuchmaschine zeigt, dass der Begriff sehr unscharf verwendet wird und auch für gesellschaftliche Probleme einen Platzhalter darstellt, welche keine Krankheiten im Sinne des ICD 10 sind; wie Stress oder „burn-out". Als Fazit ist daher festzustellen, dass es eine eindeutige Definition des Begriffs *Volkskrankheit* nicht gibt. Daher müssen weitere Kriterien herangezogen werden.

---

[8] Unterlagen dazu unter
http://www.muenchen.de/cms/prod2/mde/_de/rubriken/Rathaus/70_rgu/02_presse/pm_2006/960_281106_volkskrankheit_depression_05DEZ06.pdf
[9] Der Konferenzbericht ist abrufbar unter
http://www.gesundheitsziele.de/xpage/objects/bmgberichte/docs/1/files/Bericht_BMG_2006.pdf

4.2 Monetäre Schäden durch Volkskrankheiten

Es sollen relevanter Krankheiten betrachtet und verglichen werden. Wichtig ist hierbei:

- Welche Position nimmt die Depression in der Rangigkeit der Krankheiten ein?
- Wie stellt sich der volkswirtschaftliche Schaden durch verlorene Erwerbstätigkeit im Vergleich dar?

Das Statistische Bundesamt hat letztmalig für das Jahr 2004 eine umfangreiche Auswertung zu diesem Thema vorgelegt. Zunächst werden die Krankheitskosten nach verschiedenen Krankheitsklassen betrachtet.

**Krankheitskosten 2004 nach Krankheitsklassen**

16%

10%

5%

69%

☐ Krankheiten des Kreislaufsystems ■ Psychische u. Verhaltensstörungen ☐ Stoffwechselkrankheiten ☐ Andere Krankheitsklassen

*Abbildung 9: Krankheitskosten (gerundet) des Jahres 2004 nach ausgewählten*
*Krankheitsklassen (Quelle: Statistisches Bundesamt 2006, S, 26, eigene Darstellung).*

Den größten eigenen Kostenblock verursachen die Erkrankungen des Herz-Kreislaufsystems mit 15,6%. Relevant sind psychische und Verhaltensstörungen mit 10,1% sowie Stoffwechselkrankheiten mit 5,3%. Es ließen sich noch weitere Klassen bilden, die hier aber aus Platzgründen nicht thematisiert werden sollen.

Aus den drei betrachteten Klassen sollen Krankheiten herausgenommen werden, die jeweils am stärksten ins Gewicht fallen. Diese sind:

- In der Klasse Herz-Kreislaufsystem die ischämischen Herzkrankheiten mit 2,8%,
- in der Klasse psychische und Verhaltensstörungen die Depression mit 1,9%,
- in der Klasse Stoffwechselerkrankungen der Diabetes mellitus mit 2,3%.

| Krankheitskosten der Depression, der ischämischen Herzkrankheiten und des Diabetes mellitus im Vergleich | | | | |
|---|---|---|---|---|
| Krankheit | Jahr | Kosten in Mio. EUR | Kosten in EUR je Einwohner | Verlorene Erwerbstätigkeitsjahre in 1.000 Jahre |
| Ischämische Herzkrankheiten | 2002 | 4.855 | 80 | 147 |
| | 2004 | 6.190 | 80 | 135 |
| Depression | 2002 | 3.915 | 50 | 136 |
| | 2004 | 4.187 | 50 | 147 |
| Diabetes mellitus | 2002 | 6.552 | 60 | 37 |
| | 2004 | 5.098 | 60 | 36 |

*Abbildung 10: Krankheitskosten ausgewählter Krankheiten 2002 und 2004 in Deutschland im Vergleich*
*(Quelle: Statistisches Bundesamt 2006, S. 64ff); eigene Darstellung.*

Die Abbildung 10 zeigt die Situation dreier Erkrankungen in Deutschland mit hoher volkswirtschaftlicher Bedeutung. Die Depression ist nicht nur in einem eigenen hohen Kostenblock darstellbar, dieser ist auch innerhalb von zwei Jahren um 272 Mio. EUR gestiegen. Während die Gesamtkosten bei ischämischen Herzkrankheiten und Diabetes mellitus insgesamt höher sind, spielt die Depression bei der Anzahl der verlorenen Erwerbstätigkeitsjahre die größte Rolle. Dies verdeutlicht, dass Betroffene in der Regel noch im Berufsleben stehen, wenn sie an Depression erkranken, während sie bei anderen Leiden bereits häufiger das Rentenalter erreicht haben. Volkswirtschaftlich ist der Schaden bei der Depression damit besonders bemerkenswert. Die Kosten je Einwohner blieben allerdings konstant. Ob dies auf eine leicht gestiegene Einwohnerzahl zurückzuführen ist oder einen Fehler in der Quelle darstellt, konnte nicht geklärt werden.

Es ist daher festzuhalten, dass die Depression eine Volkskrankheit ist, da sie, sowohl isoliert betrachtet als auch im Vergleich, eine relevante Größenordnung besitzt.

## 5. Die Ursachenforschung

Die Existenz der Depression als schwerwiegende Krankheit unserer Zeit wurde in den vorangegangenen Kapiteln belegt. Jedoch wurden die Ursachen bisher kaum analysiert. Dies soll nun geschehen. Hierzu wird die Thematik aus den beiden Blickwinkeln der kollektiven und individuellen Ursachen besprochen.

Die übergeordnete kollektive Sichtweise geht auf gesellschaftspolitische Tendenzen in der heutigen Gesellschaft ein. Die individuelle Sichtweise ist hingegen durch persönliche Fähigkeiten und Eigenschaften des einzelnen Menschen geprägt. Zu beiden Themenkomplexen wird die aktuelle wissenschaftliche Diskussion dargestellt.

### 5.1 Kollektive Sichtweisen der Ursachenforschung

Die Überforderung des Menschen in der heutigen Gesellschaft ist prägendes Merkmal zahlreicher Veröffentlichungen zu diesem Thema. Die Gründe, auf welche diese Überforderungen zurückzuführen sind, werden jedoch sehr unterschiedlich dargelegt. Ehrenberg (2008, S. 244ff) sieht die Probleme der gegenwärtigen Situation in der Individualisierung des Handelns der Menschen. Er sagt, dass privates Handeln die gesellschaftlichen Aufgaben des Staates übernommen hat. Diese Maßgabe sei in allen Lebensbereichen zu finden: Partizipatives Management in Unternehmen, höhere Anforderungen an Schüler, Vertragsdenken in der Ehe. Jeder, auch der Einfachste und Zerbrechlichste, hat die Aufgabe, alles zu wählen und alles zu entscheiden.

Nach Ansicht von Summer (2008, S. 58) wird „die Unfähigkeit zu leben von der Depression repräsentiert". Haubl (2006, S. 17f) fügt dem einen weiteren Aspekt hinzu: Die Sorge darüber, den Pflichten nicht genügen zu können, beschreibt er als *Typus der narzisstischen Depression*. Die Schamgefühle, die einst die öffentliche Diskussion bestimmten, werden abgelöst durch Schuldgefühle gegenüber sich selbst und der Umwelt. Als Auslöser der Depression sieht er persönliches Versagen in der Ausübung dieser Pflichten. In Abschnitt 2.2 dieser Arbeit wurde beschrieben, warum Trauer nicht mit Depression gleichzusetzen ist. Bei Haubl wird dies besonders deutlich: Seines Erachtens sind die Menschen heute nicht traurig, sondern infolge von Enttäuschungen über ihr eigenes Versagen zugleich ängstlich und wütend. Dies setzen sie in einen totalen Verlust der sozialen Anerkennung gegen sich selbst um. Die erlebte Entwertung endet in der Depression. Die Ausbreitung einer solchen Anspruchsmentalität in der ganzen Gesellschaft führt zur depressiven Gesellschaft; die Ausmaße rechtfertigen den Begriff der Volkskrankheit.

Ähnliche Motive finden sich noch in weiteren Veröffentlichungen. Hell (2007, S. 93) spricht davon, dass der Mensch in der vorherrschenden kulturellen Wertung des Lebens keinen tragenden Grund mehr sieht.

Summer (2008, S. 62) führt die Sinnkrise auf ökonomische Faktoren zurück und beschreibt, dass aufgrund der Ohnmacht durch die Folgen der Globalisierung eine Diskrepanz zwischen den persönlichen Möglichkeiten der Freiheit und den tatsächlich sinkenden Fortkommenschancen eines Individuums entsteht.

Anhand der benannten Autoren wurde dargestellt, dass in der gegenwärtigen Literatur insbesondere die Sinnkrise des Menschen - in einer Zeit der Globalisierung und Deregulierung – als Verursacher der Depression gilt. Nur wenige Autoren wenden sich dagegen, beispielsweise Krech et. al. (1998, Band 6, S. 121): An den Problemen der Patienten habe sich im Laufe der Jahre wenig geändert, jedoch an der Bereitschaft der Menschen, sich als depressiv zu bezeichnen. Dies fällt ihnen heute leichter. Die Menschen halten inzwischen die Depression für ein organisches Leiden, welches mit Arzneimittel problemlos zu behandeln sei. So verdrängen sie ihre Probleme kurzfristig, lösen sie jedoch nicht.

Keine der angesprochenen Studien geht in der Ursachenforschung auf Geschlechterunterschiede ein. Wenn es hier jedoch keine signifikanten Unterschiede gibt, lässt dies den Schluss zu, dass Männer und Frauen mit den skizzierten Problemen gleichsam konfrontiert werden. Alleine die Ausprägungsformen der Männerdepression im Hinblick auf die Symptome und Begleiterkrankungen sind heute gut erforscht, während ihre Ursachenforschung in der Literatur meist ein Nebenaspekt allgemeiner Geschlechterforschungen zum Mann darstellen. Verschiedene Ergebnisse hierzu werden in Kapitel 9 separat betrachtet.

5.2 Individuelle Sichtweisen der Ursachenforschung

Derzeit ist festzustellen, dass sich Zeitungen und Populärliteratur verstärkt des Themas Depression annehmen und einzelne Schicksale journalistisch aufbereiten So ist es möglich, dass der journalistische Zeitgeist eine einzelne Depressionsursache in den Vordergrund rückt und damit die öffentliche Wahrnehmung der Ursachen verzerrt. Gegenwärtig werden beispielsweise wiederholt Artikel veröffentlicht, die über Arbeitsstress und berufliche Erschöpfung berichten und dies in den Kontext der Depression stellen. Hierzu ein Beispiel: Die Frankfurter Allgemeine Sonntagszeitung berichtete im Oktober 2008 zum gerade aktuellen Thema „Arbeitnehmer in der Finanzkrise" und kommt zu dem Schluss „gehen gestiegene Anforderungen aus der Arbeitswelt mit einer höheren Zahl depressiver Symptome einher" (Nr. 40/2008, S. 67). „Modegründe" können dem Thema nicht gerecht werden.

In der Literatur finden sich eine Vielzahl wissenschaftlicher Aussagen, Theorien und Hypothesen. Rudolf (2000, S. 25) vertritt die Meinung, dass es unmöglich ist, eine einheitliche und schlüssige Ursache zu benennen. Nach seiner Ansicht macht jede Hypothese und Theorie nur aus der jeweiligen Sicht der sie formulierenden Einzeltheorie Sinn. Als genereller Erklärungsansatz aber ist sie keinesfalls ausreichend. Er geht in diesem Sinne auch von einer multifaktoriellen Genese depressiver Menschen aus.

Aus der Bandbreite sollen drei Beispiele angeführt werden: Kipp et. al. (2006, S.93ff) unterscheiden ein bereites Spektrum mit biologischen Ursachen, fehlende seelische Gesundheit und Kränkungsreaktionen. Ortenberg u. Tan (2006) sollen als Vertreter einer Richtung genannt werden, die Depressionsbekämpfung ausschließlich als Sache des Willens betrachtet, welche eine spirituelle Ursache hat und auch nur so geheilt werden kann. Helmichen (1992) betont in seiner Veröffentlichung die Vererbung der Krankheit.

Nach dieser eher allgemeinen Sichtweise sollen nun individuelle Einzelursachen konkret diskutiert werden. Hierbei ist der Geschlechteraspekt zu berücksichtigen. Möller-Leimkühler (2007, S. 30) erwähnt folgende Punkte als psychosoziale Ursachen des individuellen Menschen:

| Sozialisierung, Sozialer Status, Copingstile (Bewältigungsstrategien), Rollenstress. |

An dieser Stelle sei erwähnt, dass alle Gründe in der Wissenschaft heute als Depressionsursache akzeptiert und entsprechende Ansätze zur Behandlung vorhanden sind (vgl. Abschnitt 7.1: Psychologische und psychosoziale Modelle der Depression).

Unter **Sozialisierung** sind in diesem Zusammenhang alle belastenden Ereignisse in der Zeit des Heranwachsens zu verstehen. Dies können z. B. mangelnde elterliche Zuwendung, sexueller Missbrauch, früher Tod eines Elternteils oder geringe soziale Unterstützung sein. Eine geschlechtsspezifische Ursachenerklärung ist hieraus jedoch nicht zu erkennen. Denn Frauen können ebenso wie Männer belastenden Lebensereignissen ausgesetzt werden.

Der **soziale Status** ist differenzierter zu betrachten. Im Hinblick auf das Arbeitsleben erwähnt Wolpert (2008, S. 92) den geringeren sozialen Status von Frauen als Grund für die weibliche Depression. Er sieht hier z. B. Hausfrauen betroffen. Demnach müsste jedoch ein hoher beruflicher Status eine Abwehr von Depressionen darstellen. Die ist aber nicht der Fall: Personen in höheren beruflichen Positionen tragen ebenso das Risiko, dadurch an einer Depression zu erkranken. Dieser Zusammenhang wurde im DAK Gesundheitsreport 2004 (S. 72f) untersucht. Einige Menschen neigen gerade bei verantwortungsvollen Tätigkeiten zur Überforderung ihrer selbst. Hinzu kommen die Angst zu versagen oder krank zu werden sowie unklare Aufgabenstellungen der Führungspositionen. Nach Befragungen von Arbeitsschutzexperten ist der Arbeitsplatz mit 40% sogar die größte Quelle psychischer Krankheiten (BKK-Bundesverband 2008, S. 74).

Wie ist der Effekt nun bei Arbeitslosigkeit zu bewerten? Arbeitslose sind nach neuesten Untersuchungen sogar am stärksten betroffen. Sie sind viermal häufiger wegen psychischer Erkrankungen arbeitsunfähig gemeldet als Arbeitnehmer. Frauen haben mit 516 AU-Tagen je 100 ALG-I-Empfänger leicht höhere Werte als Männer mit 403 AU-Tagen (BKK-Bundesverband 2008, S. 75).

Dies lässt dem dritten Punkt besondere Aufmerksamkeit zukommen: **Copingstile**. Jeder Mensch kann mit Belastungen unterschiedlich umgehen und entwickelt andere Strategien. Sowohl die starke Beanspruchung im Beruf, als auch die Arbeitslosigkeit als Belastungsfaktor stellen Menschen vor eine enorme Anspannung, die sie unterschiedlich verarbeiten: Frauen neigen nach Wolpert (2008, S. 92) zu übertriebener Selbstanalyse und kritisieren sich selbst sehr hart, vertrauen sich jedoch auch anderen Menschen an. Männer dagegen verdrängen das Problem, sprechen sich nicht aus, versuchen alleine damit klar zu kommen und werden in der Folge launisch und reizbar. Sie gleiten in Suchtmuster, lenken sich mit beruflicher Mehrarbeit ab oder betreiben exzessiv Sport. Adam (1998, S. 186) erläutert, dass soziale Spannungen aufgrund unbefriedigender Sozialbeziehungen sich potenzieren, d. h. dies führt zum Erleben weiterer Alltagsbelastungen welche bei unzureichenden Bewältigungsstrategien in der Depression münden können.

**Rollenstress** als letzter Punkt der Aufzählung beinhaltet den Willen oder Wunsch, die (scheinbare oder tatsächlich) zugedachte Rolle in der Gesellschaft zu erfüllen und an diesem Anspruch zu scheitern bzw. ihm nur unter Schwierigkeiten gerecht zu werden. Dies ist besonders als männliches Problem zu sehen. Fäh (2004, S. 20) bspw. fragt provokativ: „Wozu braucht`s den Mann?" und führt aus: Arbeit ist keine exklusive Männerdomäne mehr. Jede gesellschaftliche Funktion kann heute problemlos durch eine Frau erbracht werden, insbesondere die Rolle des Ernährers in der Familie. Heifner (1997, S. 10ff) konnte nachweisen, dass depressive Männer eine sehr rigide und traditionell geprägte Geschlechtsrollenidentität besitzen und besonders unter der gesellschaftlichen Entwicklung leiden. Sie erstreben die Wertschätzung anderer, indem sie besonders gut in der „klassischen" Männerrolle funktionieren wollen. Diese Männer können auch nicht aus eigenem Antrieb Hilfe in Anspruch nehmen. Heifner hat daher den „männlichen Weg" in die Therapie definiert: Nach Suizidversuch oder unter Zwang Dritter.

## 6. Die Diagnose

Aufgrund verschiedener Untersuchungen ist davon auszugehen, dass eine Anzahl von Depressionen gar nicht oder nicht rechtzeitig erkannt wird. Mangelnde Kenntnisse der Ärzteschaft über die Depression werden an dieser Stelle von einigen Autoren problematisiert. In diesem Kapitel soll diese Einschätzung näher betrachtet werden. Weiterhin wird die Frage untersucht, wie eine Depression erkannt werden kann und welche Hilfsmittel dafür entwickelt wurden.

Jacobi (2004, S. 739) hat Auffälligkeit aus den vorgestellten Daten des Bundesgesundheitssurveys angemerkt: Untersucht wurden auch Haus- und Facharztbesuche, Tage in stationären Einrichtungen und Arbeitsunfähigkeitstage bei remittierten Personen[10]. Überraschend war für ihn, dass diese Personen in allen Kategorien vergleichbare Werte aufwiesen, wie Personen, die bisher niemals in ihrem Leben die Kriterien einer psychischen Störung erfüllt hatten, jedoch mit Ausnahme der Facharztbesuche. Diese waren angestiegen. Jacobi (ebd., S. 742) zieht aus der Steigerung bei Facharztbesuchen folgende Schlüsse:

- Die Patienten sind weiterhin behandlungsbedürftig, erkennen jedoch selbst nicht ihr psychisches Leiden und suchen daher ungerichtet Hilfe bei niedergelassenen Fachärzten.

- Diese Ärzte erkennen nicht das Vorliegen einer psychischen Erkrankung und behandeln lediglich somatische Manifestationen.

Der Autor spricht von einer „Irrfahrt durch das Gesundheitssystem". Damit wird gesagt, dass die tatsächliche Erkrankungshäufigkeit der Depression noch erheblich höher liegen muss. Studien über fehlerhafte Diagnosen bei depressiven Erkrankungen durch Fachärzte konnten für diese Arbeit nicht ermittelt werden. Bezüglich der Hausärzte ist die Fragestellung jedoch gut erforscht und muss bei der Betrachtung sämtlicher Daten berücksichtigt werden. Die Autoren üben harsche Kritik: Nach Neumann u. Dietrich (2005, S. 19) stellt nur jeder dritte Hausarzt bei einem depressiven Patienten die richtige Diagnose. Rudolf (2000, S. 14) schätzt, dass 17 % bis 18 % der Patienten in einer Allgemeinarztpraxis an Depression leiden und ein großer Anteil davon nicht erkannt wird.

---

[10] Dies sind Personen, die innerhalb der letzten zwölf Monate nicht mehr die Kriterien für eine psychische Störung erfüllten.

Haubl (2006, S. 14f) spricht von mangelnden Fähigkeiten von Allgemeinärzten, mit den Patienten aufschlussreiche Gespräche zu führen, die zu Unter- und Fehldiagnostik bei Depressionen führen und stellt folgende Regel auf:

- Höchstens die Hälfte der depressiv Erkrankten sucht einen Arzt auf.
- Die Hälfte der depressiv Erkrankten, die einen Arzt aufsuchen, wird richtig diagnostiziert.
- Die Hälfte der richtig diagnostizierten, wird auch richtig therapiert.

Ähnliche Zahlen veröffentlichte bereits 2001 der Sachverständigenrat für die Konzertierte Aktion im Gesundheitswesen in seinem Band *Über- Unter- und Fehlversorgung*. Demnach wird bei mindestens einem Drittel der Patienten in hausärztlicher Praxis die Depression nicht erkannt. Gleichzeitig wird an den Hausärzten schwere Kritik hinsichtlich unzureichendem Verschreibungs- und Überweisungsverhalten geäußert (Deutscher Bundestag 2001, S. 90). Je nach Untersuchung ergibt ich zwar ein unterschiedliches Bild; jedoch ist unter den Autoren unstrittig, dass es sich um ein Problem erheblicher Tragweite handelt.

Abschließend soll das nach Geschlecht differenzierende Ergebnis von Wolfersdorf (2007, S. 19) erwähnt werden. Demnach wird nur bei 51% der depressiven Männer in der hausärztlichen Praxis die richtige Diagnose gestellt, jedoch bei 61% der Frauen.

Als Zwischenfazit wird festgehalten, dass eine Dunkelziffer zur Erkrankungshäufigkeit besteht.

Die Datenlage zur Validität der Diagnose wurde dargelegt. Nicht erwähnt wurden bislang die Gründe hierfür. Rudolf (2000, S. 14) führt dies auf zwei Faktoren zurück:

- Die Depressionssymptome sind bei einem Teil der Erkrankten nur „laviert" vorhanden, d. h. sie „verstecken" sich hinter anderen, in der Regel organischen Beschwerden.
- Die Grundzüge der Depressionsdiagnostik sind in der breiten Ärzteschaft noch nicht ausreichend bekannt.

Fraglich ist warum dies so ist und welche Möglichkeiten sich zur Abhilfe anbieten.
Zum einen besteht bei einem Teil der Betroffenen eine Hemmschwelle, über dieses Thema zu sprechen. Auch ein Arzt wird die Depression nicht in allen Fällen sofort erkennen können. Die Möglichkeit, sich an den Haupt- und Zusatzsymptome zu orientieren ist nicht immer

hilfreich. Die meisten Betroffenen klagen über körperliche Symptome, wie Schmerzen, Schlafstörungen oder Verstopfungen. Hierzu haben Untersuchungen ergeben, dass im Regelfall 14 körperliche Symptome bei Depressionen auftreten. Nur 10 bis 15 Prozent der Fälle lassen sich diese Symptome auch körperlich feststellen (Neumann u. Dietrich 2005, S. 34).

Werden Ärzte allzu stark zum Thema Depression sensibilisiert, ist auch der umgekehrte Fall denkbar: Patienten werden als depressiv diagnostiziert und sind es nicht. Dies kann zwei Folgen haben:

- Fehldiagnosen aufgrund eines „Schubladendenkens" führen zu Komplikationen, wenn sich die tatsächliche Krankheit verschlimmert. Zu diesem Sachverhalt ließ sich keine Statistik ermitteln. Spektakuläre Fälle sind jedoch in der Fachpresse nachzulesen (z. B. Medical Tribune 41/2008, S. 21: Depression entpuppte sich als Hirn-Lymphom).

- Die Erzeugung einer Krankheit. Krech et. al. (1998, Band 6, S. 127) berichten über Patienten, die ihre Krankenrolle „übernehmen", sobald sie mit der Diagnose konfrontiert werden und diese mit ihren eigenen Erwartungen in Einklang stehen. Mit anderen Worten: Wer als depressiv bezeichnet wird, fängt auch an, sich depressiv zu fühlen.

Um die Depression korrekt zu diagnostizieren bieten sich sog. „Persönlichkeitsinventare" an. Darunter sind Fragebogen zu verstehen, mit denen verschiedene Merkmale, wie persönliche Interessen, emotionale Anpassung, soziale Beziehungen, Einstellungen oder Werte erfasst werden. Ein Inventar besteht aus einer großen Zahl von Aussagen oder Fragen, die mit einer von mehreren Kategorien, wie „stimmt" oder „mag ich" bzw. „mag ich nicht" beantwortet werden (Krech et. al. 1998, Band 6, S. 19).

Kipp et. al. (2006, S. 113) beschreiben, dass diese Art von Persönlichkeitsinventaren gegenüber Bogen zu beobachtbaren Verhaltensänderungen, also der Fremdeinschätzung, vorzuziehen sind. Der Grund ist, dass der Hauptwert des Persönlichkeitsinventars bei Depressionen darin besteht, zu erfahren wie sich das Individuum selbst sieht, was der Betreffende über sich selbst *glaubt*. Als Nachteil ist jedoch anzuführen, dass ein depressiver Mensch zu negativer Denkweise neigt. Wenn alles als „schlecht" empfunden wird, ist mit einem solchen Bogen kein Schweregrad zu ermitteln, lediglich die Depression an sich. Eine Differenzierung ist daher nur in der Fremdbeurteilung möglich. Beide Verfahren sollen nun exemplarisch vorgestellt werden.

Standardtests zur Selbstermittlung *Bin ich depressionsgefährdet?* finden sich in zahlreichen Lehrbüchern und sind sich recht ähnlich. Die Person muss lediglich „Ja" oder „Nein" ankreuzen und je mehr Antworten mit „Ja" gezählt werden, umso größer ist die Depressionswahrscheinlichkeit (Neumann u. Dietrich 2005, S. 24).

Üblich sind ca. 20 Fragen, wie z. B.:

- Können Sie sich nur schwer zu Aktivitäten aufraffen und sind Sie schnell müde?
- Glauben Sie, dass sie weniger wert sind als andere und dass Sie weniger Fähigkeiten haben?
- Können Sie sich weniger für sich selbst und andere freuen?

Die *Hamilton Depressionsskala* ist eine der international gebräuchlichen Fremdbeurteilungs-skalen zur Schweregraderfassung einer Depression und späteren Verlaufskontrolle. Jede Einschätzung zu einem Themengebiet ist mit einem Ziffernwert hinterlegt. Der komplette Bogen besteht aus 21 Fragen. Ein Wert unter zehn ist der Normbereich der gesunden Bevölkerung. Werte über 20 bedeuten eine schwere Depression.

| Hamilton Depression Scale | |
| --- | --- |
| **1. Depressive Stimmung, Gefühl der Traurigkeit, Hoffnungslosigkeit, Hilflosigkeit, Wertlosigkeit)** | |
| Keine | 0 |
| Nur auf Befragen geäußert | 1 |
| Vom Patienten spontan geäußert | 2 |
| Am Verhalten zu erkennen | 3 |
| Patient drückt fast ausschließlich diese Gefühlzustände aus | 4 |
| **2. Schuldgefühle** | |
| Keine | 0 |
| Selbstvorwürfe, glaubt Mitmenschen enttäuscht zu haben | 1 |
| Schuldgefühle oder Grübeln über frühere Fehler | 2 |
| Jetzige Krankheit wird als Strafe gewertet | 3 |
| Anklagende oder bedrohende akustische oder optische Halluzinationen | 4 |

*Abbildung 11: Auszug aus der Hamilton Depression Scale. (Quelle: Kipp et. al. 2006, S. 114); eigene Darstellung.*

Woltersdorf (2007, S. 20) hat die Depressionsskala nach Geschlechtern ausgewertet. Dies ergab, dass Frauen sowohl zur körperlichen Befindlichkeit allgemein, als auch zu speziellen Depressionssymptomen signifikant mehr Beschwerden äußerten als Männer. Er erklärt dies mit einem nicht vorgesehenen Hilfesuchverhalten im Männlichkeitsstereotyp. Gleichzeitig weisen Männer höhere Werte in der Kategorie „Hoffnungslosigkeit" auf. Auch dies spricht dafür, sich keine Hilfe zu beschaffen oder zu erwarten und ist zudem ein Indiz für Selbstmordgedanken. In der Suizidmortalität haben Männer höhere Werte als Frauen, was in dieser Arbeit separat thematisiert wird.

## 7. Theoretische Modelle des Krankheits- und Therapieverlaufs einer Depression

Die Krankheitsformen und die damit verbundenen Behandlungsmöglichkeiten sind sehr vielfältig. An dieser Stelle kann nur ein kurzer Überblick gegeben werden. Im Wesentlichen werden zwei grundsätzliche Varianten unterschieden:

- Psychologische und psychosoziale Modelle der Depression
- Biologische Modelle der Depression.

Die beiden grundsätzlichen Ausrichtungen lassen sich wiederum in verschiedene einzelne Strategien unterscheiden. Im Folgenden sollen diese Modelle einer kritischen Betrachtung unterzogen werden. Die psychologischen und psychosozialen Modelle werden dabei ausführlicher behandelt. Auch der Geschlechteraspekt und die wissenschaftliche Diskussion zu den Therapien werden berücksichtigt, soweit es sich um geisteswissenschaftliche Aspekte handelt. Der Stand der Wissenschaft bei den biologischen Modellen soll hingegen kürzer gefasst werden, da die naturwissenschaftlichen Aspekte der Depression nicht Gegenstand der Arbeit sind und einem anderen Fachbereich zuzuordnen wären.

Anzumerken ist ferner, dass alle Behandlungsmethoden auch in weiteren psychischen Erkrankungsfeldern ihre Anwendung finden. Ein Behandlungsmodell ausschließlich für die Depression existiert nicht.

### 7.1 Psychologische und psychosoziale Modelle der Depression

In diesen Modellen wird die Depression meist ausschließlich mittels Gespräch durch psychologische Psychotherapeuten behandelt. Allgemein gesprochen, geht es in der Psychotherapie um den gezielten Aufbau gewünschter Verhaltensweisen, zu der die behandelte Person aufgrund von Verlust-, Verunsicherungs- und Enttäuschungserlebnissen in Krankheitsphasen nicht in der Lage ist (Friebel u. Puhl 1997, S. 54). Nach Schätzungen stellt dieser Personenkreis die größte Gruppe der depressiv erkrankten Menschen dar[11]. Die Literatur spricht auch von der sog. „Depressiven Persönlichkeit" (Hoffmann u. Schauenburg 2000, S. 44-45).

Begründer der Psychotherapie war Sigmund Freud. Seine klassische Psychoanalyse wird heute bei Depressionen nicht mehr angewendet, sie wurde im tiefenpsychologischen Modell jedoch weiterentwickelt (Hell 2007, S. 107).

---

[11] Wie bereits dargestellt berücksichtigt die Klassifikation nach ICD 10 nicht die Ursachen. Daher liegen keine präzisen Daten vor.

Heute werden in Deutschland im Wesentlichen vier Modelle der Kurzzeitbehandlung herangezogen: Das tiefenpsychologische Modell, das kognitive Modell, das Modell der erlernten Hilflosigkeit und das Verlustmodell. Unabhängig von den Ursachen haben sie für die Therapie gemeinsam, dass die ursächlichen Erlebnisse in das aktuelle Bewusstsein gebracht und dort einer Verarbeitung zugänglich gemacht werden.

Strittig ist, was der Begriff *Modell* überhaupt bedeutet. Diese Diskussion soll hier nur kurz angerissen werden. Krech et. al. (1998, Band VI, S. 141) sprechen von einer „Umerziehungstherapie". Sie bringen damit zum Ausdruck, dass das Verhalten nicht das Symptom einer Krankheit ist, sondern eine gelernte Reaktion auf spezifische Anforderungen und Belastungen der Umwelt.

Ähnlich formulieren es auch Kafner und Phillips (1970, zit. n. Kech et. al. 1998, Band VI, S. 141): Die psychologischen Modelle befassen sich nach dieser Ansicht nicht mit einer Krankheit, wie z. B. der Depression, sondern mit einer Reihe von Reaktionen, die dem Patienten oder seiner Umwelt das Leben erschweren und die nur als Depression etikettiert werden.

Die vier wesentlichen Modelle sollen nun kurz erläutert, bevor sie einer kritischen Würdigung unterzogen werden.

⇒ *Das tiefenpsychologische Modell*

In der Tiefenpsychologie findet eine Auseinandersetzung mit "dem Unbewussten" statt, um die Hintergründe und Ursachen des Leidens zu klären. Es existieren mehrere Verfahren. Das Grundmodell besagt, dass weit unterhalb der Schwelle des bewussten Erlebens, Denkens, Empfindens und Verhaltens eine Schicht in der Psyche vorhanden ist, in der ››verbotene‹‹ Wünsche, Fantasien und Konflikte existieren. Diese bestimmen unser Denken und Handeln mit, ohne dass wir uns dessen bewusst werden. Die Motive entstehen in der jüngsten Kindheit und gründen sich auf die Art und Weise, wie Bezugspersonen mit uns umgegangen sind sowie auf einschneidende Erlebnisse in dieser Phase. Prägend für eine spätere Depression ist der Mangel an Zuwendung der Eltern oder auch deren Überbesorgtheit. Im Erwachsenenalter äußert sich dies in einer emotionalen Überbedürftigkeit und einer Selbstwertproblematik. Das kann verschieden ausgelebt werden: In überhöhten und unrealistischen Leistungsanforderungen, um von anderen Menschen Wertschätzung zu erhalten, oder in einer symbiotischen Beziehung, d. h. einer krankhaften Abhängigkeit.

Diese Verhaltensweisen werden von der Gesellschaft in der Regel akzeptiert. Zu nennen ist das Rollenmodell des Liebesfilms (Symbiose der Partner). Eine Rolle, die von der

Gesellschaft eher den Frauen zugesprochen wird. Das männliche Gegenstück für dieses Therapiemodell kann der fleißige Mitarbeiter sein. Er stellt sich dem Wettbewerb auf dem Arbeitsmarkt und ordnet dies seinen persönlichen Bedürfnissen unter. In diesem Modell sind Männer und Frauen daher gleichermaßen als zu therapierende Personen berücksichtigt. Die beschriebenen Verhaltensweisen sind primär noch keine Krankheit. Zur Depression kann es jedoch kommen, wenn das Umfeld diese Anstrengungen nicht ausreichend würdigt. Überhöhte Leistungsanforderungen des Mannes werden nicht goutiert oder der Partner der Frau lässt die Liebessymbiose nicht zu. Zusammenfassend heißt dies, dass im tiefenpsychologischen Modell negative Gefühle depressive Gedanken auslösen. In der Therapie müssen diese Menschen nun in ein realistisches Anforderungsmaß zurückfinden (Rudolf 2000, S. 40 u. 78).

⇒ *Das kognitive Modell*

Dieses Modell beschreibt das Gegenteil des vorherigen Modells. Die Kognition sagt, negative Gedanken lösen negative Gefühle aus. Der depressive Patient unterliegt also Denkfehlern, die im zweiten Schritt dazu führen, dass der Betroffenen sich früher oder später tatsächlich so fühlt, wie er denkt. In ihrer Empfindung fühlen sich die Menschen auf eine für sie selbst unerklärbare Art traurig. Sie betrachten sich selbst, ihre bisherigen Lebenserfahrungen und ihre Zukunft in einer negativen, abwertenden Weise, indem sie

- einzelne negative Erlebnisse verallgemeinern (z. B: „Jemand hat mich schief angesehen. Also mag mich keiner."),
- falsche Schlüsse ziehen, die sie in der Realität nicht überprüfen (z. B: „Meine Freundin hat sich seit Tagen nicht gemeldet. Sie liebt mich nicht mehr."),
- vorwiegend negative eigene Eigenschaften wahrnehmen (z. B: „Ich kann nicht auf andere Menschen zugehen. Ich komme mit keinem zurecht."),
- sich selbst für alles die Schuld geben (z. B: „Mein Partner hat heute schlechte Laune. Bestimmt liegt es an mir.")

(Rudolf 2000, S. 79).

Die Therapie versucht nun die depressiven Kognitionen (Gedanken, Einstellungen, Wertungen) therapeutisch so zu beeinflussen, dass diese nicht mehr zuungunsten der eigenen Person ausfallen. Hierzu wird die sog. „sokratische Gesprächsform" benutzt, bei der nicht direkt auf die negativen Gedanken eingegangen werden darf. Der Betroffene muss dagegen lernen, seine depressiven Gedanken selbst auf seinen Realitätsgehalt zu prüfen (Hell 2007, S. 109).

⇒ _Das Modell der erlernten Hilflosigkeit_

Dieses Modell geht davon aus, dass eine Person, die negativen Ereignissen ausgesetzt ist, welche unabhängig von ihrem Verhalten auftreten, lernt, dass diese Ereignisse unkontrollierbar sind. Aus diesem Lernvorgang resultiert, dass Versuche zur Beeinflussung dieser Ereignisse aufgegeben werden und Passivität entsteht. Aus der Erkenntnis heraus, den Ausgang von Ereignissen nicht kontrollieren zu können, entsteht Depressivität (Adam 1998, S. 136).

Hoffmann u. Schauenburg (2000, S. 134) berichten von einem Phänomen, dass die „Hilflosigkeitsdepression" beim Therapeuten selbst sehr leicht ein analoges Gefühl der Hilflosigkeit verursacht, nämlich dem Patienten gegenüber. Weswegen einige Therapeuten zur Behandlung mit Antidepressiva neigen, nachdem sie keine Erfolge mehr durch Gesprächstherapie sehen. Die Autoren verweisen jedoch auf die unbedingte und ausschließliche Behandlung mit Psychotherapie. Die Verordnung einer antidepressiven Medikation verstärke nur das Erleben der Hilflosigkeit. Der Betroffene erlebt erneut, dass ihm kein Mensch helfen kann und deswegen Medikamente der letzte Ausweg seien.

Kutter et. al. (2006, S. 100) sehen am ehesten Borderline-Fälle als Betroffene an, denn die einzige Konstante dieser Menschen in ihrem Leben ist das Gefühl der Wert- und Hilflosigkeit. Diese fallen jedoch in den Bereich der Persönlichkeitsstörungen und werden im ICD 10 der Kategorie F30/31 zugeordnet. Damit sind sie keine Depressionen gemäß Statistik. An dieser Stelle wird nochmals auf die Ausführungen zur Problematik einer Diagnosestellung verwiesen, da die Symptome sich auch hier teilweise überlappen. Persönlichkeitsstörungen sind jedoch so selten, dass sie in den zur Verfügung stehenden Statistiken nicht separat geführt werden. Kutter et. al. (2006, S. 100) sehen dennoch überwiegend Frauen davon betroffen. Auch Adam (1998, S. 140) konnte nur ein erhöhtes Depressionsrisiko für ältere Frauen feststellen, während Vergleichsstudien zum Depressionsrisiko bei Männern bisher nicht stattgefunden haben.

⇒ *Das Verlustmodell*

Dieses Modell beruht auf einer Idee von positiver Verstärkung als Grundlage eines gesunden Lebens. Wenn positive Verstärker wegbrechen, z. B. durch den Verlust des Lebenspartners oder der Arbeit, lässt dieser Verlust depressiv werden. Die depressive Stimmung lässt nicht zu, dass neue positive Verstärker gewonnen werden. Nach dem Verlustmodell ist die Depression eine ständige Abwärtsspirale (Neumann u. Dietrich 2005, S. 57).

Kipp et. al. (2006, S. 101) sprechen bei diesem Modell von der sog. „Depressionsfamilie": Konflikte, die nach dem Verlustmodell hervorgerufen werden, sind Traditionsproblematiken, wie Scheidungen, der Verlust eines Familienbetriebes u. ä. Der Konflikt wird über eine Generation hinweg auf die nächste (z. B. die Kinder) übertragen. Die Betroffenen fühlen sich um den alten Zustand beraubt und projizieren die Schuld am Verlust auf andere Familienmitglieder, wobei eine ständige negative emotionale Spannung aufrechterhalten wird. Frauen sehen sich nach diesem Modell als Übermittler von Normen und Werten in der Familie, die besonders streng sein möchten und äußerlich als stark in Erscheinung treten. Männer neigen in der Depressionsfamilie zu Suchtproblematiken, da sie ihrer traditionellen Rolle in der Familie nicht länger gewachsen sind.

7.1.1 Beurteilung der Modelle nach dem Geschlechteraspekt

Therapieziel bei Frauen ist (neben der Beseitigung der Depression) in der Regel eine Stärkung des Selbstbewusstseins, welches zu gering ausgeprägt ist. Bei Männern geht es meist um die Fähigkeit, eigene Gefühle zu erkennen, in Worte zu fassen und diese nicht durch Substitution zu verdrängen. Dazu ist Offenheit notwendig, denn häufig werden auch schamvolle Aspekte des Lebens zur Sprache gebracht. Hier ergibt sich ein neues Problem, speziell der Männer: Hell (2007, S. 38f) beschreibt, dass Männern die Psychotherapie durch die benötigte Offenheit schwerer fällt als Frauen. Männer befürchten zum einen durch die Therapie negativ etikettiert zu werden und dadurch Nachteile, z. B. einen Ansehensverlust, zu erleiden. Zum anderen gilt die Psychotherapie in Teilen der Männerwelt als zu feminin bzw. unmännlich. Für Männer ist es schwieriger, emotionale Konflikte anzusprechen.

Zu untersuchen ist, woran dies liegt. Fäh (2004, S.119) hat sich mit der Frage beschäftigt und fordert als Antwort dazu: „Jeder Mann braucht einen Mann". Hiermit soll ausgedrückt werden, dass viele Männer keinen Freund haben, mit dem sie über alles reden können. Ohne diesen jedoch fehle es dem Mann an einer Spiegelung seiner Projektionsfläche für das eigene Selbst. Es ließe sich einwenden, dass eine Frau ebenso gut eine Gesprächspartnerin für

Probleme sein kann. Dies lässt der Autor jedoch nicht gelten: Eine Frau mag in der Lage sein nachzuvollziehen, wie ein Mann fühlt, jedoch nur ein anderer Mann ist auch in der Lage, es nachzufühlen. Zwei psychologische Barrieren verhindern nach Ansicht des Autors jedoch die Öffnung gegenüber anderen Männern:

- Nähe und Verständnis gelten als weibliche Eigenschaften. Dies wird zurückgeführt auf die eigene Mutter als erste Pflegeperson des Mannes. Kinder identifizieren sich primär mit der Mutter.

- Ein Teil der Männer hat Angst vor homosexuellen Gefühlen. Es handelt sich um eine unbewusste seelische Bedrohung die nicht zulässt, dass eine heterosexuelle Orientierung durch das Zeigen von Gefühlen gegenüber dem eigenen Geschlecht in Frage gestellt wird.

Die nicht erlernte Öffnung der eigenen Gefühle führt zu den gleichen Schwierigkeiten auch in der Psychotherapie. Dennoch müssen Männer ihre emotionalen Probleme ausdrücken. Sie tun dies auf anderen Wegen, z. B. in der Sucht. Ein Alkoholproblem wird von Männern als weniger stigmatisierend empfunden, als ein psychisches Problem. Bei Frauen ist es umgekehrt (Hell 2007, S. 39). Hell spricht daher auch von Alkohol und Drogen als männliche Form der Depression. Festzuhalten ist, dass ein Teil der Männer psychotherapeutischen Verfahren ablehnt. Für sie bieten sich jedoch Alternativen in Form der medikamentösen Behandlung an.

### 7.1.2 Beurteilung der Modelle nach ihrer wissenschaftlichen Anerkennung

Bei den hier vorgestellten Therapiemodellen handelt es sich um Verfahren, die in den letzten Jahrzehnten entwickelt wurden und ihre Wirksamkeit in empirischen Studien belegt haben (Hell 2007, S. 107). Voraussetzung ist, wie auch der vorangegangene Abschnitt gezeigt hat, die Kooperation des Kranken. Natürlich bleibt in Fachkreisen eine Debatte über Reichweite, Tiefe und Validität der Psychotherapie und deren Formen nicht aus. Diese im Einzelnen besprechen zu wollen, würde den gegebenen Rahmen sprengen. Teilweise gehen diese Diskussionen bereits in den Bereich der Philosophie. Hier soll nur ein kleiner Einblick gegeben werden.

Krech et. al. (1998, Band VI, S. 144f) kommentieren verschiedene kritische Anmerkungen zur Psychotherapie im Allgemeinen. Ein genereller Kritikpunkt ist die sog. *Phantomsubstitution*, die einen ewigen Kreislauf der Krankheit beschreibt, welcher mit Psychotherapie nicht zu durchbrechen ist. Die These besagt, dass die Beseitigung der Symptome durch die Therapie zur Entstehung neuer Symptome führt, die derselben Abwehrfunktion dienen. Andere Therapeuten halten dem jedoch entgegen, dass dieses Auftreten im Einzelfall erklärbar sei und ebenfalls behandelt werden könne.

Deist (2006, S. 231f) weist darauf hin, dass es in der Praxis keinen Sinn macht, eine definierte, standardisierte psychologische Technik anwenden zu wollen. Denn das zu behandelnde Objekt sei der Mensch und dieser hat so viele Ausprägungen in seinem Dasein, dass jeder Versuch der Normierung schnell an seine Grenzen stößt. In diesem Sinne ruft er dazu auf, sich als Therapeut nicht an sein Wissen zu klammern, sondern von den Patienten selbst etwas über das Leben im Allgemeinen zu erfahren und die Lebensbewältigung gemeinsam zu erarbeiten.

Dies entspricht auch der Ansicht von Buchholz (2003, S. 87), der die neuen Perspektiven in der Psychotherapie als Wendung zur Interaktion sieht. Anerkennung der Gegenseitigkeit „selbst mit dem noch so sehr gestörten Patienten" und „Unaufdringlichkeit anstelle Bescheidwissen" werden von ihm als Maßgabe gesehen.

## 7.2 Biologische Modelle der Depression

Die biologischen Modelle gehen von einer familiären Disposition (Vererbung), einer Fehlsteuerung der Hormone (z. B. Cortisol) oder von einem Fehlen zentraler Botenstoffe im Gehirn (z. B. Serotonin) aus. Meist werden diese medikamentös durch einen Arzt behandelt.

⇒ *Genetische Disposition*

Dieser Ansatz beschreibt, dass das Krankheitsrisiko ansteigt, wenn in einer Familie bereits Depressionen vorliegen. Rudolf (2000, S. 28) sieht einen Zusammenhang mit dem Verwandtschaftsgrad. Je enger dieser ist, desto höher sei das Risiko der Erkrankung. Ein zweite Faktor, der Grad der Erkrankung, komme jedoch noch dazu: Es hat den Anschein, so der Wissenschaftler, dass besonders schwere psychische Erkrankungen, wie Manien und Psychosen mit einem höheren Risiko der Vererbung behaftet sind, als leichtere Erkrankungen, wie die Depression. Er gibt zu bedenken, dass die Diskussion über den Anteil der genetischen Verursachungsgründe noch nicht abgeschlossen ist und dass sich daher keine zuverlässigen Aussagen machen lassen. Luderer (1994, zit. nach Friebel u. Puhl 1997, S. 36) hat die wissenschaftliche Diskussion mit einer Risikotabelle für Verwandte bereichert. Das Risiko, demnach selbst an einer Depression zu erkranken, variiert jedoch teilweise enorm. So soll das Risiko bei eineiigen Zwillingen, wenn einer der Zwillinge erkrankt ist, zwischen 33% und 93% für den anderen Zwilling liegen. Es stellt sich die Frage, ob bei dieser Spannbreite eine

Prognose sinnvoll ist oder ob eher unnötige Ängste verursacht werden. So sind Kipp et. al. (2006, S. 94) der Meinung, dass der Faktor Vererbung missverstanden und überbewertet wird. Zum einen senke Vererbung lediglich die Schwelle, in einer bestimmten Situation depressiv zu erkranken, zum anderen seien Depressionen so häufig, dass fast jeder jemanden in seiner Familie kennt, der erkrankt sei. Dies weckt jedoch in der Bevölkerung den Anschein, Depression sei eine unausweichliche Erbkrankheit.

⇒ *Fehlsteuerung der Hormone*

Dieser Behandlungsansatz geht davon aus, dass die Hormonausschüttung im Köper gestört ist. Dabei führt akuter und chronischer Stress zu einer Überproduktion des Stresshormons Cortisol im Körper, was im ersten Schritt organische Schäden verursacht (Bluthochdruck, Diabetes, Gefäßverkalkung) und im zweiten Schritt für schädigende Einflüsse im Gehirn mit nachfolgenden Depressionen sorgt (Wolpert 2008, S. 175). Stress ist jedoch ein subjektives Empfinden. Eine Situation kann für einen Menschen Stress bedeuten, für den anderen nicht. Auf dieses Phänomen wird im Kapitel 10.1.2 im Zusammenhang mit der Salutogenese näher eingegangen. Hier sei festgehalten, dass eine individuelle subjektive Situation für einen Menschen den Ausschlag zur Ausschüttung von Stresshormonen gibt. Ein hoher Cortisolspiegel bedeutet also nicht automatisch eine Depression. Jedoch weist die Hälfte der schwer depressiv Erkrankten tatsächlich einen erhöhten Cortisolspiegel auf (Wolpert 2008, S. 177). Entscheidend für die Therapie ist, die Ausschüttung der Stresshormone im Körper medikamentös zu verhindern.

Auch Hormone, die mit der Geschlechtsfunktion zusammenhängen, können eine Depression auslösen. Dazu gehören Östrogen bei Frauen und Testosteron bei Männern. In diesem Fall wird vermutet, dass ein zu niedriger Hormonspiegel der Auslöser ist. Eine eindeutige Präferenz, ob ein Geschlecht stärker davon betroffen ist, als das andere, konnte bisher noch nicht nachgewiesen werden.

Auch eine zu hohe Konzentration von Wachstumshormonen steht im Verdacht eine Depression zu verursachen, jedoch ist auch dies nicht restlos geklärt (Wolpert 2008, S. 182). Neuman und Dietrich (2005, S. 85) bemerken zu den Forschungen im Hormonbereich: „Derartige Ansätze stecken zwar noch in den Kinderschuhen, könnten aber in Zukunft sinnvolle Ergänzungen der bisherigen Therapieverfahren sein".

⇒ *Fehlen zentraler Botenstoffe im Gehirn*

Diese Behandlungsansätze beruhen auf sog. Transmittersystemen im Gehirn. Die Theorien gehen von Überlegungen aus, dass Amine, wie Serotonin und Noradrenalin, im synaptischen Spalt des Gehirns reduziert sind und wieder in ein Gleichgewicht gebracht werden müssen. Die Pharmazie hat herausgefunden, dass Antidepressiva in Form sog. selektiver Serotonin-Rückaufnahmehemmer die Rückaufnahme aus dem synaptischen Spalt verhindern und damit gezielt die Konzentration dieses Stoffes, welcher einer Depression entgegenwirkt, steigert (Wolpert 2008, S. 174). Rudolf (2000, S. 30f) weist aber darauf hin, dass sich alle diese Behandlungsmethoden noch im Stadium der Weiterentwicklung befinden. Ein einheitliches Bild zu den biochemischen Vorgängen im Gehirn gibt es derzeit nicht. Auch Neumann und Dietrich (2005, S. 68) führen weiter aus, dass die Wirkprinzipien zwar zu einer erhöhten Verfügbarkeit der Stoffe im Gehirn führen, aber die Folgemechanismen zur Beseitigung der Depression letztlich nicht vollständig geklärt sind. Wolpert (2008, S.174) stützt diese Skepsis ebenfalls. Ein Rätsel ist beispielsweise noch, warum der Ausgleich der Nervenbotenstoffe zwar sofort erfolgt, die gefühlte Wirkung des Antidepressivum beim Patienten aber erst nach zwei bis vier Wochen einsetzt. Es besteht daher weiterer Forschungsbedarf. Es kann jedoch festgehalten werden, dass heute bereits gute medikamentöse Ansätze zur Verfügung stehen, eine depressive Episode zu behandeln.

## 8. Begleiterkrankungen und Konsequenzen der Depression

Die Tatsache, dass Männer und Frauen anders mit einer Depression umgehen, hat auch unterschiedliche Komorbiditäten und Konsequenzen der Depression zur Folge. Möller-Leimkühler (2006, S. 34) hat geschlechtsspezifische Komorbiditäten der Depression ermittelt: Frauen neigen zusätzlich zu Angststörungen und Essstörungen, Männer hingegen zu Persönlichkeitsstörungen und Substanzmittelmissbrauch. Die Auswahl ist jedoch nicht auf psychische Begleiterkrankungen beschränkt. Körperliche Erkrankungen können ebenso in die Depression führen. Sie kann umgekehrt aufgrund eines anderen Leidens entstehen oder Folge einer anderen Erkrankung sein. Einige wichtige Aspekte, die in der Literatur breiten Raum einnehmen, sollen hier angesprochen werden. Dies sind körperliche Erkrankungen, Süchte, die Erschöpfung und der Suizid.

### 8.1 Körperlich krank und depressiv

Geläufig ist hierfür der Begriff *organische Depression* (Tölle 2000, S. 51). Dabei kann die Depression Auslöser oder Reaktion sein. Als Reaktion ist sie aufgrund der Diagnose einer schweren Krankheit denkbar. Ist sie alleiniger Auslöser, so findet sich in der Literatur auch der Ausdruck *somatogene Depression* (Rudolf 2000, S. 34).

Friebel und Puhl (1997, S. 30) listen geläufige Auslöser in diesem Zusammenhang auf:

- Funktionsstörungen, wie z. B. Hormonumstellungen in den Wechseljahren,
- Erbliche Veranlagung, die als körperliche Ursache anerkannt wird,
- Biochemische Veränderungen des Stoffwechsels, vor allem Aufgrund von Nebenwirkungen bei Medikamenten.

Andere Autoren fassen körperlichen Krankheiten als Auslöser noch weiter. Neben den bereits genannten zählen Neumann u. Dietrich (2005, S. 34) noch das Herz-, Kreislaufsystem, Autoimmunerkrankungen, Lungenerkrankungen sowie Infektions- und Tumorerkrankungen hinzu. Als dritte Variante können Depressionen auch als Komorbidität völlig unabhängig auftreten (was im Sinne dieses Abschnittes jedoch nicht relevant ist). Die Liste der Krankheiten ist in der Praxis ein vernachlässigbares Problem. Tölle (2000, S. 52) betont vielmehr, dass weniger die saubere Einteilung, als die Entstehungsbedingungen für die Heilung relevant sind. Im amerikanischen Raum ist hierfür der Ausdruck „depression of the medical ill" gebräuchlich. Nach Tölle sind Depressionszustände bei chirurgischen und internistischen Krankenhausaufenthalten häufig und werden auf 10% bis 45% geschätzt. Ihre Therapie unterscheidet sich jedoch nicht von körperlich gesunden Menschen. Am meisten verbreitet ist demnach die Depression bei Parkinson-Patienten aufgrund der Auswirkungen von Neurotransmitterstörungen[12]. 40% der Parkinson-Patienten sind betroffen (Tölle 2000, S. 53).

Medikamente stellen nur in seltenen Fällen die Ursache einer Depression dar. In diesem Fall wird auch der Begriff *pharmakogene Depression* verwendet (Rudolf 2000, S. 34). Nachgewiesen wurde, dass ältere Menschen häufiger betroffen sind als jüngere (Kipp et. al. 2006, S. 96). Hierin wird auch ein Grund für die Zunahme organischer Depressionen gesehen: Die wachsende Zahl älterer Menschen mit entsprechenden organisch bedingten Allgemeinerkrankungen führt fast linear auch zu mehr depressiven Störungen (Rudolf 2000, S. 34).

Die Liste der depressionsauslösenden Wirkstoffe ist umfangreich und enthält paradoxerweise sogar Mittel, die u. a. auch bei depressive Symptome helfen können, wie z. B. Epilepsie-Medikamente, die auch bei bipolaren Depressionen[13] eingesetzt werden. Auch rezeptfreie Wirkstoffe, wie gegen Schmerzen und Entzündungen, gehören hierzu. Eine vollständige Liste findet sich z. B. bei Neumann u. Dietrich (2005, S. 135).

## 8.2 Depression und Sucht

Rosen und Amador (2002, S. 229) stellen fest, dass Alkohol- und Drogenmissbrauch mit klinischen Depressionen oft Hand in Hand gehen. Die Beziehungen zwischen Alkoholabhängigkeit und Depression sind dabei am besten untersucht (Tölle 2000, S. 53). Grundsätzlich gibt es hierbei zwei Varianten:

- Es liegt bereits eine Depression vor, die mit Alkohol (oder seltener: anderen Drogen) „bekämpft" wird.

- Stetiger Konsum von Alkohol (oder anderen Drogen) führt zu einer depressiven Symptomatik.

Zunächst soll auf die Epidemiologie von Suchtstörungen näher eingegangen werden, um dann geschlechterspezifische Aspekte näher zu untersuchen.

Zur Verbreitung von Suchterkrankungen in der Bevölkerung liegen Daten aus dem Zusatzsurvey „Psychische Störungen" des Bundesgesundheitssurveys 1998/1999 vor. Demnach beträgt die 12-Monats-Prävalenz der Altersgruppe 18 bis 65 Jahre bei Substanzstörungen (Missbrauch oder Abhängigkeit – ohne Nikotin) 4,5%. Nach neueren

---

[12] Bei Neurotransmitterstörungen sind die chemischen Trägerstoffe (Neurotransmitter) nicht mehr in der Lage zwischen Nervenfasern und Nervenzellen Informationen auszutauschen (Friebel und Puhl 1997, S. 31).
[13] Bei der bipolaren Depression wechselt sich die Depression mit einer Manie ab.

Studien und nur auf Alkoholabhängigkeit bezogen, beträgt diese 3% der erwachsenen Bevölkerung (Soyka u. Lieb 2004, S. 37). Ein beachtlicher Unterschied zeigt sich in der Geschlechterverteilung: Während Männer mit 7,2% vertreten sind, ist dies bei nur 1,7% der Frauen der Fall (Jacobi et. al. 2004, S. 24). Dass es sich um ein typisch männliches Problem handelt, zeigt auch ein Blick auf die Berufe der Betroffenen. Soyka u. Lieb (2004, S. 37) haben eine Reihe sog. „Alkoholberufe" ermittelt, bei denen das Risiko für Alkoholmissbrauch besonders groß ist. Dies sind hauptsächlich solche mit besonders hohem Männeranteil, wie Gießer oder Metallberufe[14]. Rosen und Amador (2002, S. 229) fassen verschiedene Studien zusammen, nach denen sich ein Bild ergibt, dass etwa 50% aller diagnostizierten Alkoholiker auch an Depressionen leiden.

Es deckt sich mit neuesten Auswertungen des BKK-Bundesverbandes (2008, S. 122), dass 44% aller Männer mit psychischen Erkrankungen im Jahr 2007 wegen Alkoholmissbrauchs in stationärer Behandlung waren. Soyka u. Lieb (2004, S. 38) haben Prävalenzraten zur Komorbidität von Depression und Alkoholabhängigkeit von 30% bis 60 % ermitteln können. Zwischen 60% und 85% davon betrafen Männer. Sie weisen jedoch darauf hin, dass die Häufigkeit überschätzt sein könnte, da Studien meist an Alkoholabhängigen in Psychiatrischen und Suchtkliniken durchgeführt wurden und seltener bei rein internistisch betreuten Patienten. Unabhängig davon starben im Jahr 2006 in Deutschland 15.552 Personen an Alkoholerkrankungen (Rübenach 2007, S. 967).

Im Bezug auf illegale Drogen liegen Untersuchungen zur 12-Monats-Prävalenz aus dem Jahr 1997 vor. Bei Männern liegt die Quote für Missbrauch bei 1,0%, für Abhängigkeit bei 1,1%. Bei Frauen sind diese geringer: 0,4% weisen Missbrauch auf, 0,2% Abhängigkeit (Klein 2001, S. 233). Da die Alkoholprobleme gegenüber illegalen Drogen stärker verbreitet sind und ebenso besser untersucht wurden, soll diese Problematik auch hier den breiteren Raum einnehmen.

Fraglich ist, warum für depressive Männer der Alkoholkonsum so „attraktiv" ist. Es scheint hierbei ein unbewusstes Abwägen der Vor- und Nachteile des Alkohols stattzufinden. Der Konsum verspricht eine vorübergehende Erleichterung und Stimmungsaufhellung. Entsprechend schwierig ist die Therapie des Alkoholmissbrauchs in der depressiven Phase: Die Alternative zum Trinken darf nicht schlimmer sein, als das Trinken selbst (Rosen u.

---

[14] Männeranteil bei Mechanikern z. B. 94,5 % und bei Metallarbeitern 86,0% (IKK-Bundesverband 2008, S. 132 u. 138).

Amador 2002, S. 230). Hierzu kommt, dass die selbst initiierte „Therapie" zunächst tatsächlich zu einer Linderung führt. Die stete Steigerung der Dosis zur Erreichung des Effektes führt jedoch schnell in die Abhängigkeit. Zur erfolgreichen Behandlung muss zunächst die Droge abgesetzt werden. Nach erfolgtem Entzug wird anschließend die Depression diagnostiziert und behandelt (Neumann u. Dietrich 2005, S. 36).

Der umgekehrte Fall (Alkoholkonsum führt zur Depression) ist meist einfacher zu behandeln. Die depressive Störung tritt in Zusammenhang mit dem Gebrauch der Substanz oder als Folgewirkung kurz danach auf. Auch hier wird zuerst der Drogenmissbrauch behandelt. In den meisten Fällen verschwindet die Depression nach der Entwöhnung vollständig (Rosen u. Amador 2002, S. 231).

Auch hier konnten Soyka u. Lieb (2004, S. 39) einen Geschlechterunterschied ermitteln, allerdings liegen nur Angaben für die US-amerikanische Bevölkerung vor. Demnach ging bei 78 % der Männer die Alkoholabhängigkeit der Erstmanifestation einer Depression voraus. Bei Frauen war dies nur in 34 % der Fälle so. Frauen sind also eher depressiv und greifen dann zu Alkohol, während Männer eine Alkoholabhängigkeit entwickeln und daran depressiv erkranken.

Als Fazit kann festgehalten werden, dass Männer deutlich häufiger von Suchterkrankungen betroffen sind. Dies, obwohl die Schwellendosis[15] zur Abhängigkeit bei Männern sogar höher liegt.

## 8.3 Depression und Erschöpfung

Verschiedene Aspekte werden mit dieser Ausprägung der Depression in Verbindung gebracht. Wichtiges Merkmal ist zunächst, dass nicht die Erschöpfung selbst die Krankheit darstellt, jedoch die Krankheit Depression bei einer Erschöpfung das Ergebnis sein kann. Leider wird der Begriff Erschöpfung in der Literatur unscharf verwendet. Friebel und Puhl (1997, S. 42f) sprechen allgemein von der „Erschöpfungsdepression" als Reaktion auf belastende Ereignisse. Sie meinen damit anhaltenden Stress, der im beruflichen oder auch im privaten Umfeld auftreten kann. Als Gründe werden eher allgemeine Lebensprobleme angeführt, nämlich Entwurzelung, chronische Überlastung, Enttäuschung und Einsamkeit. In neuerer Literatur, z. B. von Unger und Kleinschmidt (2007, S. 89ff) wird der Fokus spezieller auf die Problematik unserer heutigen Arbeitswelt gelegt. Die Autoren sprechen von der sog.

---

[15] Üblicherweise beträgt diese 20 Gramm reinen Alkohols täglich bei Frauen und 40 Gramm täglich bei Männern (Klein 2001, S. 233).

„Erschöpfungsspirale", die eine allgemeine Erschöpfung durch anstrengende Arbeits-bedingungen beschreibt, welche chronisch werden und mit „Depression statt Karriere" enden können, so wie es die Autoren auf den Punkt bringen.

Symptomatisch ist für die Gruppe der Betroffenen, dass sie fleißig und ehrgeizig sind, sich karriereorientiert verhalten und im Berufsleben als Leistungsträger auf besondere positive Resonanz ihrer Arbeitgeber treffen. Diese Menschen haben damit gesellschaftlich positiv besetzter Eigenschaften und könnten rundum zufrieden sein. Unger und Kleinschmidt (2007, S. 94f) beschreiben, dass aber gerade diese unbegrenzte Leistungsbereitschaft zum Verhängnis wird: Betroffene Männer arbeiten sich in die Erschöpfung, weil sie sonst berufliche Nachteile und Anerkennungsverlust befürchten, bei Frauen spielt die Doppel-belastung durch Familie und Beruf eine größere Rolle. Asperg (zit. nach Unger und Kleinschmidt 2007, S. 97) hat daraus die Erschöpfungsspirale entwickelt, die in mehreren Stufen abläuft. Am Anfang stehen leichte Befindlichkeitsstörungen, wie Schlafstörungen, Energieverlust oder Gedankenenge. Die Erschöpfung schreitet voran und macht sich stärker bemerkbar. Es kommt zu Gedächtnis- und Konzentrationsproblemen und   Kompensation durch Mehrarbeit. Darauf folgt sozialer Rückzug, verbunden mit Schuldgefühlen und in der Folge noch einiger weiterer Zwischenstufen schließlich die Depression. Im Modell der Erschöpfungsspirale sind die Überforderung und der soziale Druck auf die Menschen ausschlaggebende Faktoren. Beim Motiv der Überforderung sind   Frauen besonders hervorzuheben, bei denen spezifische Zusatzbelastungen auftreten können. Saldecki-Bleck et. al. (Berufsverband Deutscher Psychologinnen und Psychologen 2008, S. 27f) haben Erklärungsansätze untersucht und zählen als Stressfaktoren u. a. auf:

- durchschnittlich schlechtere Bezahlung der Frauen bei gleicher Arbeit,
- erschwerter Wiedereinstieg in den Beruf (z. B. nach Elternzeit),
- ungleiche Verteilung der Familienarbeit,
- wirtschaftliches Ungleichgewicht zwischen den Geschlechtern.

Es gilt, als weiteren Aspekt einen Suchtfaktor zu beachten, der im Zusammenhang mit der Arbeitswelt gewertet wird und daher nicht im den Abschnitt der stoffgebundenen Süchte besprochen werden soll. Es handelt sich um die sog. Arbeitssucht (auch: „Enthusiastic Workaholics"), welche ebenfalls in die Erschöpfung führen kann. Genaue Zahlen liegen zwar nicht vor. Nach Schätzungen weisen in Deutschland 6 Mio. Erwerbstätige ein süchtiges Arbeitsverhalten auf (Jungkurth 2005, S. 236). Die Arbeitssucht wird als typische

Männerkrankheit gewertet, auch wenn eine konkrete Geschlechterverteilung nicht ermittelt werden konnte. Charakteristisch für dieses Verhalten ist (ähnlich den Betroffenen in der Erschöpfungsspirale nach Asperg), dass das Arbeitsverhalten zunächst großen Spaß bereitet. Ähnlich wie bei anderen Süchten wird das gesundheitsschädigende Verhalten erst erkannt, wenn die Balance zwischen Beruf und Privatleben aus den Fugen geraten ist und die soziale Unterstützung weg bricht.

Die Lösung dieses Problems kann nur in einer realistischen Betrachtung der eigenen Arbeitsfähigkeit bei gleichzeitig humanen Arbeitsbedingungen liegen.

8.4 Suizidalität

Ein großer Teil, aber nicht alle suizidgefährdeten Menschen, sind psychisch krank. Ebenso möchten viele, jedoch nicht alle Personen, mit einer Depression, ihrem Leiden durch Suizid ein Ende setzen. Tölle (2000, S. 58) beschreibt die Suizidforschung als eine Erforschung der Situation eines Menschen. Neben der Depression sind auch Verschuldung, Straftaten oder Vereinsamung häufige Auslöser für Todeswünsche.

Im Jahr 2006 starben in Deutschland 9.765 Menschen durch Selbsttötung. Schätzungen zufolge waren 65% bis 95% der Betroffenen depressiv (Rübenach 2007, S. 960). Genaue Zahlen liegen nicht vor, was an dem speziellen Codierungsverfahren liegt. Die Erfassung der Sterbefälle erfolgt nach dem ICD-10. Demnach werden vorsätzliche Selbstbeschädigung und –vergiftung lediglich als ergänzende Klassifizierungen für Verletzungen und Vergiftungen codiert. Darüber hinaus gibt es nur noch einige Einteilungen, die sich als „Tod unklarer Ursache" zusammenfassen lassen. Ein Bezug zur Depression ist somit nicht möglich.

Die Suizidzahlen sind seit vielen Jahren rückläufig. Starben 1980 24,6 Personen pro 100.000 Einwohner auf diese Weise, so waren es 2006 10,9 Menschen. Männer sind hier deutlich überrepräsentiert, was sich im Laufe der Jahre auch nie geändert hat. 7.225 Männer nahmen sich 2006 das Leben (entspricht 16,0 Männern je 100.000 Einwohner), bei den Frauen taten dies 2.540 Personen (entspricht 5,6 Frauen je 100.000 Einwohnern).

Zur besseren Einordnung der Zahlen an dieser Stelle ein EU-Vergleich. In Deutschland befinden sich die Männer im Mittelfeld der Statistik. Der höchste Wert findet sich in Litauen mit 67,4 Männern und die niedrigste Quote erreicht Griechenland mit 5,0 Männern je 100.000 Einwohner (Rübenach 2007, S. 970ff).

Es ist festzuhalten, das Suizid ein gesellschaftliches Problem darstellt, die Fallzahlen aber auch nicht zu stark zu bewerten sind. So gab es bis vor wenigen Jahren noch Statistiken, nach denen sich ca. 15 % der Depressiven selbst töteten. Heute ist klar, dass diese Zahlen zu hoch waren und nur deshalb zustande kamen, da ausschließlich Personen in stationärer Behandlung betrachtet wurden. Die Suizidrate bei Depressionen wird heute auf maximal 5% geschätzt (Hell 2007, S. 58).

Suizidale Handlungen werden in 75% der Fälle vorher angekündigt (Simhandl u. Mitterwachauer 2007, S. 51). Es ist daher wichtig, die Risikofaktoren zu erkennen, zu bewerten und entsprechend zu reagieren. Neumann u. Dietrich (2005, S. 131) haben Risikofaktoren für den Suizid zusammengefasst.

| Risikofaktoren des Suizids bei Depression |
| --- |
| (1) Die Depression hat gerade erst begonnen |
| (2) Hohe gesellschaftliche Anerkennung des Gefährdeten |
| (3) Zusätzliche körperliche Erkrankungen |
| (4) Starke Schlafstörungen |
| (5) Alkohol- oder Drogenabhängigkeit |
| (6) Wenige soziale Kontakte |
| (7) Fortgeschrittenes Alter |
| (8) Wahnsymptome |
| (9) Suizide oder Suizidversuche in der Familie |

*Abbildung 12: Risikofaktoren des Suizids bei Depression*
*(Neumann u. Dietrich 2005, S. 131).*

Die Risikofaktoren wurden in anderen Veröffentlichungen (z. B. Breyer-Pfaff et. al. 2005, S. 108) bestätigt und teilweise erweitert, z. B. um die Faktoren Schweregrad der Schuldgefühle, Entwurzelung oder Trennung sowie Kränkungen oder Zurückweisungen. Sie stellen auch einige Medikamente zur Diskussion, die in Verdacht stehen sollen, den Suizid zu provozieren (2005, S. 109f). Aus Gründen des Umfanges sollen diese erweiterten Faktoren jedoch nicht betrachtet werden. Stattdessen werden Risikofaktoren aus der Liste in Abbildung 12 erläutert und bewertet.

Zu den Faktoren gehört, dass sich gem. (1) die Depression noch in einem **frühen Stadium** befindet. Hierzu veröffentlichte Hell (2007, S. 59), dass eine manifestierte, bereits lange anhaltende Depression einen Suizid sogar verhindern kann. Was zunächst paradox klingt, macht jedoch Sinn: In der Depression kann die Handlungsfähigkeit so gehemmt sein, dass nicht nur tägliche Verrichtungen, sondern auch Handlungen mit Tötungsabsicht unmöglich werden. Hinzu kommt der zweite Aspekt, dass bei schon länger anhaltender Depression meist eine Therapie begonnen wird, Selbsttötungsabsichten jedoch meist von unbehandelten Depressiven ausgehen. Wolpert (2008, S. 119) fügt hinzu, dass am Beginn der Depression das Hoffnungslosigkeitsgefühl am größten ist, was die Selbsttötungsneigung erhöht.

(2) Eine Gefahr der **Selbsttötung** besteht, wenn der Depressive vor seiner Erkrankung ein hohes gesellschaftliches Niveau erreicht hat. Ist dieses in Gefahr, stellt sich für den Betroffenen die Frage, wie er darauf reagieren soll. Ist von Frauen als Reaktionsmuster der „Totstell-Reflex" bekannt, so reagieren Männer mit Kampf und Fluchtverhalten (Berger 2003, S. 4). Die Flucht kann eine solche in den Suizid sein.

Als Erklärung heranzuziehen sind auch Studien, die hohen sozialen Stress im Allgemeinen (nicht nur des privilegierten Teils der Bevölkerung) als Erklärungsansatz beinhalten. Die Ausgangslage für den Betroffenen ist nicht unähnlich.

Der Problematik der **zusätzlichen körperlichen Erkrankungen** (3) wurde bereits der Abschnitt 8.1 gewidmet und soll hier nicht erneut vertieft werden.

**Schlafstörungen** nach (4) gehören zu den typischen Symptomen einer Depression (Rudolf 2000, S. 135). Rudolf (2000, S. 32) beschreibt den sog. chronobiologischen Faktor in depressiven Erkrankungsphasen, nach dem sich die Tagesrhythmik verschiebt. Damit gehen Tageschwankungen im Befinden einher und es kommt zu Schlafstörungen.

**Alkohol- und Suchterkrankungen** (5) wurden in Abschnitt 8.2 ausführlich erläutert.

**Wenige soziale Kontakte** (6) sind ebenso ein Faktor für die Suizidgefahr. Fäh (2004, S. 46) sieht hier Männer betroffen, weil sie stärker zur Isolation neigen, als Frauen. Er nennt dies den *Desperado-Mythos,* nach dem Männer glauben, alleine Schwierigkeiten bewältigen zu müssen. Männer die diesen verinnerlichen, verherrlichen eine resignativ-unabhängige Position, die sie letztlich zu traurigen und traumatisierten Männern werden lässt.

Zum Faktor des **fortgeschrittenen Alters** (7) ist auszuführen, dass in höherem und hohem Alter keine anderen Arten der Depression auftreten, als in früheren Lebensabschnitten. Lediglich die persönliche Situation alter Menschen ist zu berücksichtigen, die von sozialen Einschränkungen, Komorbiditäten, Einförmigkeit des Daseins und Verlust des Partners geprägt sein kann (Tölle 2000, S. 69). Dies kann zu einer Depression und einem Suizid beitragen. Tölle (2000, S. 71) erklärt die besondere Suizidgefahr älterer Menschen mit der Zuspitzung von Eigentümlichkeiten: Aus Ordnungssinn wird Pedanterie, aus Sparsamkeit Geiz und aus einer Depression kann der Suizid werden.

Gleichwohl lag das durchschnittliche Selbsttötungsalter im Jahr 2006 in Deutschland bei 54,7 Jahren für Männer und 59 Jahren für Frauen (Rübenach 2007, S. 964); also ein Zeitpunkt bei dem von hohem Alter noch nicht gesprochen werden kann.

Die **Wahnsymptome** aus Punkt (8) gehören in das Spektrum der bipolaren Depression und sollen daher hier nicht näher behandelt werden.

Zu Punkt (9), der **Suizide oder deren Versuche in der Familie** schließlich, gibt es naturwissenschaftliche Erklärungsansätze, jedoch auch geisteswissenschaftliche Überlegungen. Pourshirazi (2008, S. 51) verbindet mit diesem Risikofaktor die Suche nach einer Schicksalsverbundenheit; die Vorstellung durch den Tod im Jenseits vereint zu sein. Dies geht jedoch meist aus einer narzisstischen Gemütshaltung hervor, weniger aus einer depressiven, und soll an dieser Stelle nicht weiter vertieft werden.

## 9. Umgang mit der Depression aus der Geschlechterperspektive

Es wurde gezeigt, wie die Depression nach den geltenden Kriterien des ICD10 zu diagnostizieren ist, sowie dass Männern und Frauen damit unterschiedlich stark entsprochen wird. In diesem Kapitel soll nun die Perspektive der Geschlechter weiter betrachtet werden. Untersucht wird, wie sich Heranwachsende in ihren Geschlechterrollen unterscheiden und wie daraus eine Depression entstehen kann. Weiterhin wird besprochen, welche wissenschaftlichen Erkenntnisse zur Frage unterschiedlicher depressiver Symptome bei Männer und Frauen vorliegen und warum Frauen in ihrer Ausprägung der Symptome der Diagnostik eher entsprechen.

### 9.1 Eigenschaften von Männern und Frauen

Marcotte (1999, S. 1f) hat den sozialen Anpassungsdruck bei Heranwachsenden in den USA ausgewertet und die „gender intensification hypothesis" aufgestellt. Demnach bilden Heranwachsende ihre Rollenidentifikation aufgrund der Beobachtungen ihrer Umwelt aus. Dies führt dazu, dass jugendliche Mädchen stärker zu Depressionen neigen als gleichaltrige Jungen. Es geschieht, indem sie Eigenschaften für sich annehmen, die sie der Gefahr einer Depression stärker aussetzen. Jungen profitieren dagegen von männlichen Stereotypen, die das Zeigen von Schwäche nicht vorsehen. Dies schützt sie zunächst vor Depressionen. Nach Bischoff-Köhler (2006, S. 274) definieren sich Mädchen in der Pubertät stark über ihr Aussehen, was sich aber nicht positiv auf ihr Selbstvertrauen auswirkt, da diese Kompetenz nicht mit irgendwelchen Fähigkeiten in Verbindung gebracht werden kann.

Die folgende Abbildung zeigt, welche Eigenschaften als Merkmale „typisch" männlichen oder weiblichen Verhaltens betrachtet werden.

| Geschlecht | Positive/neutrale Eigenschaften | Negative Eigenschaften |
|---|---|---|
| Weiblich | Geduld | Monotonie |
| | Konzentration | Passivität |
| | soziale Aufgeschlossenheit | Unselbstständigkeit |
| | Nachdenklichkeit | Unsicherheit |
| | Vorsicht | Ängstlichkeit |
| Männlich | Impulsivität | Unkonzentriertheit |
| | Aktivität | Unbeherrschbarkeit |
| | Durchsetzungsstärke | geringe Frustrationstoleranz |
| | Entschlossenheit | kein Verzicht auf unmittelbare Bedürfnisbefriedigung |

*Abbildung 13: Bewertende Alternativen zur Bezeichnung geschlechtstypischen Verhaltens*
*(Quelle: Bischof-Köhler, 2006, S. 273).*

Nach Ansicht der Autorin (ebd., S.273ff) finden männliche Eigenschaften in der Gesellschaft eine stärkere Beachtung. Durchsetzungsstärke beispielsweise wird positiv anerkannt. Nachdenklichkeit hingegen wird bei Mädchen von der Umwelt als nicht beachtenswert abgewertet. Jungen erhalten durch auffälliges Benehmen Aufmerksamkeit. Dies wird sie in ihrer positiven Selbsteinschätzung bestätigen, während das Selbstvertrauen der Mädchen leidet. Ihre Kompetenzbereiche, Vorsicht als Beispiel, sind unauffälliger und bieten sich weniger an, eine positive Wertschätzung auf sich zu ziehen. Entsprechend hat Marcotte (1999, S. 1) ermittelt, dass bei Heranwachsenden doppelt so viele Mädchen depressive Symptome aufweisen wie Jungen. Gleichwohl gibt es nur Schätzungen, da diese weniger häufig als bei Erwachsenen behandelt werden und, z. B. durch Eintritt in ein neues soziales Umfeld wie dem Berufsleben oder der Universität, auch eher wieder verschwinden.

Der vermeintliche „Vorteil" der Jungen relativiert sich jedoch im Erwachsenenalter. Marcotte (ebd. S. 2) zeigt, dass der soziale Druck für Männer, dem Rollenmodell Draufgängertum, Unternehmungslust und Innovation auch weiterhin zu entsprechen, zunehmend zu einer Last wird. Bischof-Köhler (2006, S. 273) hat ermittelt, dass die weiblichen Kompetenzbereiche aus Abbildung 13 den erwachsenen Frauen nun zum Vorteil gereichen. Nachdenklichkeit und Vorsicht sind beispielsweise für den Umgang mit einer Depression positiv zu bewerten. Aufgeschlossenheit und Geduld werden bei der Behandlung einer Depression benötigt. Ängstlichkeit und Unsicherheit können Beweggründe sein, schneller fremde Hilfe in Anspruch zu nehmen und nicht zu glauben, alleine damit fertig werden zu müssen. Erwachsene Frauen haben mit ihren Eigenschaften, seien diese nun typisch feminin aufgrund genetischer Regeln oder aufgrund der Annahme von Rollenerwartungen, beste Voraussetzungen zur erfolgreichen Behandlung der Depression.

Umgekehrt sieht es bei erwachsenen Männern aus. Im Bezug auf die Depression sind ihre Eigenschaften weniger förderlich. Sie können ihnen nicht helfen, aus einer Depressionssituation herauszufinden. Männer werden tendenziell eine Depression eher vertuschen, solange dies möglich ist. Die Eigenschaften Aktivität und Entschlossenheit führen dann eher zur Hyperaktivität mit exzessivem Sport oder ausgedehnten Kneipenabenden, um über die Depression nicht nachdenken zu müssen. Durch Unbeherrschbarkeit oder geringe Frustrationstoleranz werden sie jedoch langfristig bei ihrer Umwelt auf Ablehnung stoßen, so dass diese Strategie dauerhaft keinen Erfolg verspricht. Daher werden sich auch Männer der Depression stellen; möglicherweise zu einem späteren Zeitpunkt als Frauen.

Döge (2006, S. 35) bestätigt diese Ansicht. Er sieht die Gesundheitsgefährdung der Männer mit dem Begriff der *fragilen Männlichkeit* umrissen. Männliche Eigenschaften können mit *Erzeuger – Beschützer – Versorger* bezeichnet werden. Diese Macht- und Stärkeposition wird in der Regel über den Beruf definiert, aber nur bei einer geringeren Zahl von Männern tatsächlich eingelöst. Nur 20% aller Männer sind Führungskräfte, 80% arbeiten in nachgeordneten Positionen. Das Machtversprechen der Gesellschaft, so Döge (ebd.), kollidiert nun mit der Erfahrung der Machtlosigkeit an der Arbeitsstelle. Die negative Eigenschaft der geringen Frustrationstoleranz macht sich bemerkbar und führt zu den Stresssituationen, an denen ein Teil der Männer zerbricht.

### 9.2 Die männliche Depression

Möller-Leimkühler (2007, S. 43f) hat auf Grundlage dieser Erkenntnisse die Symptome der „männlichen Depression" zusammengefasst und bewertet:

| Diagnostische Kriterien für "männliche Depression" nach klinischen Erfahrungen |
|---|
| (1) sozialer Rückzug, oft nicht zugegeben |
| (2) Klagen über burn-out |
| (3) Abstreiten von Traurigkeit |
| (4) Bestehen auf Autonomie / Hilfe nicht annehmen |
| (5) zunehmende Ärgerattacken |
| (6) Impulsivität |
| (7) vermehrter Alkohol- u. Nikotinkonsum |
| (8) Süchte z. B. nach Fernsehen, Sport, Sex etc. |
| (9) Selbstkritik und Versagensangst |
| (10) andere für eigene Probleme verantwortlich machen |
| (11) Feindseligkeit |
| (12) Unruhe und Agitiertheit |
| (13) Konzentrations-, Schlaf- u. Gewichtsprobleme |

*Abbildung 14: Diagnostische Kriterien für die männliche Depression*
*nach klinischen Erfahrungen (Pollack 1998, zit. n. Möller-Leimkühler 2007, S. 43).*

Zu erkennen ist, dass die männlichen Ausprägungsformen der Depression abweichen von den diagnostischen Kriterien des ICD 10. Möller-Leimkühler schließt daraus, dass es sich bei der höheren Depressionsrate der Frauen folglich nicht um eine Überdiagnostizierung handeln kann, sondern dass dies mit den Aspekten der Geschlechterrollen erklärt werden muss. Sie schließt umgekehrt auf eine Unterdiagnostizierung bei Männern, die durch die Abwehr klassischer weiblicher Symptome verursacht wird.

Fraglich ist, wie männlichen Betroffenen geholfen werden kann und wie präventiv agiert werden sollte.

Über Medien könnte ein Rollenbild von Männern vermittelt werden, welches Schwächen zulässt und akzeptiert, Krankheiten und Mängel zu haben. Hippmann (2007, S. 140f) hat Männerbilder der Zeitschriften- und Fernsehwerbung im Bezug auf Gesundheitsprodukte untersucht. Es zeigte sich, dass der Typ des gesundheitsbewussten Mannes in den Medien generell gegenüber anderen positiven Bildern (z. B. des intellektuellen, gutsituierten oder fürsorglichen Mannes) stark unterrepräsentiert ist. Wenn ein Mann überhaupt ein behandlungsbedürftiges Leiden hatte, dann war dies altersbedingt (z. B. graue Haare) oder harmlos (z. B. Schnupfen). Wurde mit Männern und für Männer um ein Gesundheitsprodukt oder eine Gesundheitsdienstleistung geworben, dann meist nur, um einen männlichen Makel zu kaschieren (z. B. Haarausfall oder Impotenz) und wieder dem gängigen Ideal entsprechen zu können. Abbildungen mit körperlichen, geistigen oder seelischen Behinderungen konnten in Publikumszeitschriften für Männer überhaupt nicht gefunden werden. Es ist daher festzuhalten, dass eine starke Medienkampagne fehlt, um Männer für das Thema Depression zu sensibilisieren.

Welche Kampagne stattdessen bis vor kurzem in Deutschland platziert wurde, ist Thema des Abschnittes 10.2.

Wie können Männer jenseits der Geschlechterstereotypen, unabhängig von der Diskussion, ob diese auf kulturelle Gegebenheiten zurückzuführen seien, oder in menschlichen Genen mitgegeben werden, in einer für Sie selbst förderlichen Art und Weise einer Depression begegnen? Dazu ein Beispiel aus der Politik: Richter (2006, S. 49ff) untersuchte männliche Persönlichkeiten des politischen Lebens und stellte diese in einen psychoanalytischen Kontext. Er beschäftigte sich mit den Biographien von Gandhi, Nelson Mandela und Willy Brandt. Ihnen gemeinsam war, dass sie ein Stück Weiblichkeit in ihr Engagement um den Frieden einbrachten (ebd. S. 55). Es ließe sich einwenden, dass nur die wenigsten Männer den Anspruch haben, sich aktiv in die Weltpolitik einbringen zu wollen. So soll auch hier nur die damit verbundene Metapher erwähnt werden: Weibliche Eigenschaften waren für diese Männer keine Schwäche, sondern eine positive Antriebskraft. Für die heute an Depression leidenden Männer bedeutet dies, dass auch sie ihre Männlichkeit weiterentwickeln müssen. Heraus aus der Kurzfristigkeit von Wunscherfüllungen und Symptomtherapie, hin zur Selbstachtung und Mut zur Vorsorge.

Diese Ansicht wird von Hollstein (2008, S. 202f) geteilt. Er beschreibt, wie fehlende identitätsstiftende Männervorbilder für Kinder und Jugendliche sich unmittelbar auf deren psychische Gesundheit auswirken können. Tatsächlich kommen Heranwachsende eher mit Frauen als Bezugspersonen, denn mit Männern in Berührung. Zu nennen sind die Kindergärtnerin, die Grundschullehrerin und die Mutter als haushaltsführende Person. Rollenbilder in den Medien könnten diese Lücke füllen, tun dies, gem. Hollstein (ebd.), in der Praxis jedoch nicht. Wie dargestellt, bilden sie Klischees ab und dienen keiner (oder einer falschen) Identitätsstiftung. Die angeführten politischen Persönlichkeiten sind zwar gute Vorbilder, deren Handeln ist jedoch für die prägenden Kinder- und Jugendjahre noch zu abstrakt. Hollstein (ebd. S. 203) ist der Ansicht, dass genau diese Defizite der heutigen Gesellschaft in der Summe zu Verhaltensstörungen und Depressionen bei Männern führen. Beginnend mit Aufmerksamkeits-Defizit-Syndromen bei kleinen Jungen, endend bei Suizidversuchen erwachsener Männer. Dennoch warnt er davor, sich vorschnell am weiblichen Vorbild zu orientieren. Seines Erachtens bedingt die Suche nach gesunder Männlichkeit u. a.

- der Auseinandersetzung mit realen Wünschen und Träumen,
- der Auseinandersetzung mit dem Vater zur Vergangenheitsbewältigung,
- der Trauerarbeit über väterliche Versäumnisse

(ebd. S. 224).


Mit diesen Aspekten ist Hollstein wiederum sehr nah an den Konzepten, die auch in der Psychotherapie zur Depressionsbewältigung angewandt werden. Der Unterschied ist jedoch der Zeitpunkt der Anwendung; nicht als Korrekturmittel im Nachhinein, sondern als Instrument der Modernisierung der Männlichkeit von Anfang an.

## 10. Männerspezifische Gesundheitsstrategien

Im vorherigen Kapitel wurde die Ausprägungsform der Männerdepression konkretisiert. Dabei wurde deutlich, dass Männer seltener bereit sind, die Krankheit Depression zu akzeptieren und das dies oftmals auf ihr Rollenverständnis zurückzuführen ist.

Weiterhin scheint problematisch, dass der überwiegende Teil der Männer seine scheinbar vorbestimmte Geschlechterrolle unreflektiert annimmt und keine Alternativen dazu sieht. Döge (2006, S. 37) hebt hervor, dass damit auch eine männliche Körperferne einhergeht, da Krankheit in dieser Rolle nicht vorgesehen ist. Dies schlägt sich in einem anderen Vorsorgeverhalten der Männer im Vergleich zu Frauen nieder. Der Bundes-Gesundheitssurvey (2002) hat verschiedene Sachverhalte dazu veröffentlicht. Einige Beispiele: Männer gehen selten zum Arzt. Ca. 80% der 30- bis 50-jährigen waren in den letzten zwölf Monaten in ihrer Arztpraxis, bei den Frauen waren es über 90 %, die einen Arzt aufsuchten (ebd., S. 30). Über alle Altersgruppen hinweg gehen Männer durchschnittlich 9,1-mal jährlich zum Arzt. Frauen häufiger, mit 12,8-mal (ebd. S. 33).

Jacobi (2003, S. 10) hat ermittelt, dass nur 20% der 60 bis 80-jährigen ihren aktuellen PSA-Wert kennen, weniger als die Hälfte ihr Körpergewicht. Er schätzt es skeptisch ein, ob Männer unter dem Stichwort „Gesundheit" überhaupt zu erreichen sind. Dementsprechend gelänge es auch nicht, die Depression als mögliche Folge dieser Fehlentwicklung in den Köpfen der Männer ausreichend zu verankern, d. h. ihnen das Problem in geeigneter Weise darzustellen und die Konsequenzen aufzuzeigen.

Weiterhin ist belegt, dass Männer deutlich häufiger an Krankheiten versterben, die durch abträgliche Arbeitsbedingungen oder einen riskanten Lebensstil mit verursacht werden, als Frauen (Robert-Koch-Institut 2006, S. 13).

Möller-Leimkühler (2007, S. 37) fasst diesen Sachverhalt mit den Worten „Frauen suchen Hilfe – Männer sterben" in einer drastischen Formulierung zusammen. Frauen werden offensichtlich über die zur Verfügung stehenden Medien zu Behandlungsmöglichkeiten sowie Präventionsangeboten besser angesprochen.

Faltenmaier (2004, S. 25) hat sich mit der Frage beschäftigt, warum Männer so reagieren, d. h. warum das Thema Gesundheit und Gesundheitsrisiken einen niedrigen Stellenwert besitzt. Er fand heraus, dass Männer diese Risiken sehr wohl wahrnehmen, aber sie entweder bagatellisieren oder sie aktuell für nicht gravierend erachten. Eine Rollenveränderung zu Lasten anderer Lebensbereiche (z. B. dem Beruf) scheidet in der Regel für Männer aus.

Es ergeben sich daraus die Fragestellungen, wie geeignete Präventionsansätze für Männer aussehen, worauf dabei zu achten ist und wie Männer zwecks Verhinderung oder Behandlung einer Depression angesprochen werden könnten.

## 10.1 Präventionsansätze für Männer

In diesem Unterkapitel sollen zwei Präventionsansätze vorgestellt und in einen Bezug zur männlichen Depression gestellt werden. Derzeit gibt es nur eine geringe Zahl von Ansätzen, die sinnvolle Hilfe leisten können. Dies wird von verschiedenen Seiten kritisiert.

Jacobi (2003, S. 2) bemängelt, dass es ein Fachgebiet der *Männerheilkunde* in Analogie *Frauenheilkunde* nicht gibt. Dies habe verhindert, dass sich geeignete Präventionsansätze speziell für die Bedürfnisse von Männern, entwickeln konnten. Es wäre möglich, die Prävention als Erweiterung psychotherapeutischer Aufgaben einzuführen. Auch dies findet bisher wenig Verbreitung. Hardt (2006, S. 251) sieht den Grund hierfür in der Legaldefinition des Berufsfeldes, welche präventive Maßnahmen nicht zu den Aufgaben der Psychologischen Psychotherapeuten zählt. Stattdessen sei der Aufgabenbereich auf die Kuration eingeschränkt.

Als Ansatz zur Verbesserung der Situation hat Jacobi (2003, S. 5f) die Idee der Männer-sprechstunde in der Allgemeinpraxis oder für Urologen entwickelt. In der Ausgestaltung könnten Männern bestimmten Motivationsgruppen zugeordnet werden, deren Präferenzen dann in mehreren Sitzungen behandelt würden. Inhalte könnten z. B. Seelische Fitness, Stressanalyse und Suchtprävention sein, mit denen sich Depressionen verhindern ließen. Präventionskonzepte, wie z. B. *seelische Fitness* sind zunächst ein abstrakter Begriff. Nachfolgend soll erläutert werden, welche Philosophien hinter diesen Programmen stehen. Dazu wird exemplarisch die Psychohygiene und die Salutogenese vorgestellt.

### 10.1.1 Psychohygiene

Mit Psychohygiene ist die Lehre vom Schutz und der Erhaltung der seelischen und geistigen Gesundheit gemeint. Der Begriff entstand etwa Anfang des 20. Jahrhunderts und sollte seinerzeit zum Ausdruck bringen, dass es Ziel sein muss, eine Umwelt zu schaffen, die bestmögliche Chancen bietet, ein gesundes Leben zu führen (Hardt 2006, S. 254).

Oberdorfer (2003, S. 127ff) postuliert heute die Psychohygiene als Weg zu seelischer Gesundheit und individuellem Glück für Männer. Er hat den Ansatz weiterentwickelt und auf die Umwelt adaptiert, in der Männer heute leben. Er kritisiert, dass der Zeitgeist zu einer oberflächlichen Konsumentenhaltung geführt hat, welche für männliche Depressionen verantwortlich ist. Es sieht vor allem diejenigen Männer betroffen, die sich in einen „Tanz ums goldene Kalb" begeben. D. h. sie lassen sich zu stark von den Gesetzen des Wachstums, der Rendite und der Machtausübung leiten, um ebenso in vielen Fällen daran zu scheitern.

Oberdorfer (ebd. S. 130f) beschreibt für Männer folgende Präventionsansätze als Ausweg aus der Situation:

- Unterbrechung der Ich-Befriedigung; dies bedeutet den Aufbau von Frustrationstoleranz durch die Fähigkeit, die jeweils gegenwärtige Realität als positiv anzuerkennen, auch durch das Überdenken von Rollenbildern,
- Erziehungskompetenz erwerben; z. B. durch ein verhaltensorientiertes Elterntraining, welches Männer aktiv in den Entwicklungsprozess der Erziehungsziele einbezieht,
- Soziale Kompetenz durch Zwiegespräche erwerben. Männer lösen Konflikte anders als Frauen. Durch Erlernen und Ritualisieren eines kontrollierten Dialogs, sollen Paare zu einer Wir-Identität finden und letztlich eine Persönlichkeitsveränderung möglich machen,
- Nach dem „Heute"-Prinzip leben; als Stützpfeiler positiven Denkens, ohne mit der Welt zu hadern.

Die Liste ließe sich noch um einige ähnliche Punkte fortschreiben, was an dieser Stelle aus Platzgründen nicht erfolgen soll. Die Intention ist deutlich: Die Verhaltensänderung aufgrund besserer Einsicht soll von Männern als Stärke begriffen werden und nicht als ihre Schwäche. Der Autor sieht sein Konzept der konsequenten psychohygienischen Lebensführung als Alternative zur klassischen Psychotherapie. Es soll hier stellvertretend für die zahlreichen psychologischen Beratungen und Coachings gelten, die angeboten werden, in der Regel jedoch privat finanziert werden müssen.

### 10.1.2 Salutogenese

Ein weiterer Ansatz für Präventionskonzepte wurde aus dem Prinzip der Salutogenese von Aaron Antonovsky erarbeitet. Es handelt sich weniger um ein Praxismodell, als mehr um eine theoretische Konzeption. Sie bietet jedoch zahlreiche praxisrelevante Hinweise, die insbesondere für die psychotherapeutische Anwendung geeignet sind (Lorenz 2003, S. 17). Jacobi (2003, S. 314) sagt, dass Salutogenese ein Prinzip der vorbeugenden Gesunderhaltung ist. Doch üblicherweise, so Jacobi (ebd.) gehen Menschen zum Arzt wenn sie krank sind. Ggf. wird Prävention noch als Mittel zur Krankheitsverhinderung betrieben. Es geht stets darum, Störungen zu beseitigen. Die Gesundheit wird also über die Bekämpfung von Krankheit gefördert.

Ausgangsfrage für Antonovsky war dagegen, weshalb Menschen unter bestimmten Bedingungen gesund bleiben und andere krank werden. Menschen die gesund bleiben, so seine Überlegungen, und dies selbst bei schweren Schicksalsschlägen, müssen daher über besonders stark ausgeprägte Widerstandsressourcen verfügen. Diese nennt Antonovsky das Kohärenzgefühl; eine Determinante für Gesunderhaltung und Gesundheitsförderung (Lorenz 2003, S. 35). Es handelt sich um die Fähigkeit, Vertrauen in die generelle Lösbarkeit von Problemen zu entwickeln. Nach dieser Konzeption werden Probleme nicht nur notgedrungen bewältigt, sondern als Herausforderung des Lebens betrachtet, die es anzunehmen gilt. Ein starkes Kohärenzgefühl begünstigt die Annahme eines Menschen, dass seine gegebenen Lebensverhältnisse und die eigenen Lebensmöglichkeiten einen Sinn haben. Ein schwach ausgeprägtes Kohärenzgefühl hingegen führt zu Gefühlen der Nichtlösbarkeit und Ohnmacht (ebd. S. 39).

Damit ist die Salutogenese direkt auf psychische Symptome zu beziehen und ein hochaktueller Aspekt in der Diskussion über die Zunahme von Depressionen. Schwache Widerstandsressourcen führen zu inneren Spannungen und Stress. Der nachfolgende Zusammenhang in der Ausbildung einer Depression wurde bereits erläutert.

Als Fazit wird festgehalten, dass es sich bei dem Kohärenzgefühl um eine generelle Lebenseinstellung handelt, die Verstehbarkeit, Handhabbarkeit und Sinnhaftigkeit des Lebens positiv beeinflusst und damit Depressionen verhindert (Lorenz 2003, S. 37).

Die Frage, ob Männer oder Frauen ein stärkeres Kohärenzgefühl haben, kann hingegen nach heutigem Stand der Wissenschaft nicht eindeutig beantwortet werden, da entsprechende Untersuchungen widersprüchliche Ergebnisse brachten (Faltenmaier 2004, S. 23).

## 10.2 Präventionskampagnen

Für verschreibungspflichtige Produkte darf bei Endverbrauchern nicht geworben werden. Ob für privatwirtschaftliche Unternehmen eine Präventionskampagne bei Depressionen wirtschaftlich lukrativ sein kann, ist ein eigenes Themenfeld, welches hier nicht erörtert werden soll. Es ist festzuhalten, dass die Recherche ergeben hat, dass aus Unternehmerinitiative heraus bisher keine Kampagnen entstanden sind, welche Aufklärungsarbeit in Richtung Depressionen, sei es bei Männern oder allgemein, geleistet haben.

Eine weitere Möglichkeit der Präventionsarbeit ist in öffentlich finanzierten Gesundheitskampagnen zu sehen, die Männer über Risiken, oder vielleicht sogar zunächst über das Vorhandensein von Depressionen in der männlichen Bevölkerung, aufklären. Ähnliche Projekte sind bekannt, z. B. aus der Aids-Aufklärung. Es gibt sie auch für Depressionen, wenn auch mit einer geringeren Medienpräsenz.

Im Folgenden soll die europäische Kampagne *Depression kann jeden treffen* sowie die US-amerikanische Kampagne *Real men. Real depression.* vorgestellt und verglichen werden.

### 10.2.1 Europäischer Raum: „Depression kann jeden treffen"

Im April 2004 wurde in Deutschland die *European Alliance Against Depression* (EAAD) ins Leben gerufen. Es handelt sich um ein Projekt der Klinik und Poliklinik für Psychiatrie der Universität Leipzig, gefördert von der Europäischen Kommission mit einer Laufzeit bis 2008. Grundidee sind die Bereitstellung von Information- und Kampagnenmaterialien, welche nur noch in die entsprechende europäische Landessprache übersetzt werden muss und dann sofort eingesetzt werden kann. 17 Staaten haben sich angeschlossen und die Materialien in ihre Landessprache adaptiert.

Das Konzept beruht auf mehreren Aspekten. Auf regionaler Ebene werden sog. *Bündnisse gegen Depression* gegründet. Diese organisieren die Arbeit vor Ort, z. B. Veranstaltungen, Vorträge oder Beratungsangebote. Der zweite Aspekt ist die bessere Vernetzung von Beratungsstellen, Ärzten, Psychotherapeuten und Kliniken. Schließlich gibt es als dritten Aspekt die Öffentlichkeitsarbeit, um möglichst viele Menschen auf das Angebot aufmerksam zu machen. Die Öffentlichkeitsarbeit erfolgt überregional; u. a. in einer einheitlichen Bildersprache. Die Motive werden europaweit verwendet, allerdings mit Ausnahmen, auf die noch eingegangen wird. Nachfolgend soll es um die Fragestellung gehen, ob die Medien geeignet sind, Männer zu diesem Thema zu erreichen.

Für Plakate und Faltblätter wurden die folgenden beiden Abbildungen durch die EAAD vorgegeben:

Abbildung 15: Fotokampagne der EAAD. Quelle: EAAD[16]

Im deutschsprachigen Raum sieht das Plakat wie folgt aus:

Es ist zu erkennen, dass die Initiatoren sich für eine eher anonyme Ansprache entschieden haben. Die Grafik des „Loop" stellt ein Erkennungsmerkmal dar, welches sich durch alle Materialien zieht. Dadurch wirken die Menschen im Bild jedoch gleichsam distanziert. Die Frau steht bildlich im Vordergrund. Der Mann ist kaum zu erkennen Einige kurze Sätze informieren zur Depression im Allgemeinen.

Abbildung 16: Deutschsprachiges Plakat der EAAD. Quelle: EAAD[17]

Eine explizite Aufforderung an Männer, Hilfe in Anspruch zu nehmen oder sich zum Thema Gedanken zu machen ist auf dem Plakat nicht zu finden. Die Botschaft mag klar sein: *Depression kann jeden treffen*. Aber wird ein Mann auch daran denken, dass es dabei um ihn geht? Die blonde Frau auf dem zweiten Motiv der Kampagne kann in dieser Hinsicht ebenfalls nicht überzeugen.

Als Fazit ist festzuhalten, dass das Thema Depression auf diese Weise zwar in die Öffentlichkeit getragen wird, jedoch auf eine distanzierte und unpersönliche Art. Den Bedürfnissen von Männern werden die Motive kaum gerecht.

---

[16] http://www.eaad.net/enu/catalogue.php
[17] http://www.buendnis-depression.at/Fuer-Betroffene.247.0.html

Zu bemängeln ist ferner, dass keine fremdsprachlichen Broschüren und Informationen im deutschen Internetauftritt des EAAD unter www.buendnis-depression.de zu finden sind. Es ergeben sich keine Lösungen für die Problematik, dass auch bei nicht deutsch sprechenden Menschen, die in diesem Land leben, Depressionen auftreten können.

Es existieren noch einige länderspezifische, stärker abweichende Variationen, die nun einer Betrachtung unterzogen werden.

Abbildung 17: Variation der EAAD-Kampagne für Estland .Quelle: EAAD[18]

Die estländische Variante des Themas hat sich jedem direkten Bezug zum Menschen entzogen. Zu sehen ist eine Himmel-Wolkenlandschaft, die das Schlüsselwort *Depressioon* beinhaltet; symbolisiert durch eine dunkle Gewitterwolke. Um diese Metapher zu verstehen, ist bereits eine Transferleistung notwendig. Das ganze Plakat scheint am Thema vorbeizugehen. Männer dürften sich kaum angesprochen fühlen.

Letztlich könnte das Motiv auch andere Assoziationen wecken, beispielsweise, dass im Himmel eine Erlösung aus irdischen Depressionsqualen zu erwarten sei.

Tatsächlich nehmen sich in Estland, bezogen auf die Gesamteinwohnerzahl, in etwa doppelt so viele Männer das Leben wie in Deutschland (Rübenach 2007, S. 970).

Ausschließlich in den folgenden beiden Motiven aus Slowenien und Spanien wurden Männer im bildlichen Bezug deutlich hervorgehoben. Auf der linken Abbildung ist *Depresija* auf dem Bizeps zu erkennen. Dennoch ist die Ansprache allgemeiner Natur: Der Bezug zwischen männlicher Stärke, symbolisiert durch das Armdrücken, und der Depression bleibt im Unklaren. Das spanische Motiv ist kaum besser. Ein Mann wird sich nicht mit der blassen Person in der Abbildung identifizieren wollen, sondern eine ähnliches Befinden so lange wie möglich leugnen oder bagatellisieren. Eine Aufklärungsarbeit in Richtung der Risiken in der männlichen Bevölkerung, z. B. im Bezug auf Versagensängste oder männliche Identitäts-krisen findet sich nicht wieder.

---

[18] http://www.eaad.ee/index.php?page=1

Abbildung 18: Depressionskampagnen in Slowenien und Spanien mit männlichem Bezug.

Quelle: EAAD[19]

Die dargestellten Menschen sind als anonyme und unpersönliche Abbildungen zu betrachten. Es sind auswechselbare Werbegesichter und es ist davon auszugehen, dass die Menschen dies auch bemerken. Die Herren der slowenischen Kampagne könnten beispielsweise genauso gut für Bier werben, die blonde Damen der länderübergreifenden Vorlage für Haarshampoo.

Inwieweit die Motive als Initialzündung für die Inanspruchnahme von Hilfe bei Männern dienen können, wurde bisher nicht untersucht und ist auch nicht Gegenstand der begleitenden Evaluation. Lediglich allgemeine, geschlechtsunspezifische Auswirkungen werden gemessen. Die Kampagne lief bis Ende 2008, entsprechend liegt die Evaluation noch nicht vor. Allerdings gibt es Hinweise. Die Testregion Nürnberg der EAAD wurde von Freudenberg (2005, S. 145ff) wissenschaftlich begleitet, mit der Kontrollregion Würzburg verglichen und die Ergebnisse veröffentlicht. Einige davon seien an dieser Stelle erwähnt:

Vor Beginn der Aufklärungsarbeit gab es in der Nürnberger Öffentlichkeit große Vorbehalte und Wissensdefizite. Als Gründe für Depressionen wurde häufig Charakterschwäche oder fehlende Selbstdisziplin gesehen. Die Hälfte der Bevölkerung erachtete Depressionen als nicht behandelbar. Mehr Sport treiben oder in den Urlaub fahren wurde mehrheitlich als hilfreich beurteilt.

Zwei Jahre nach der Intervention war die Maßnahme von einem Viertel der Nürnberger Bürger bemerkt worden und es zeigten sich signifikante Änderungen in ihrer Einstellung. Stigmatisierende Ursachenzuschreibungen wurden seltener getätigt und sinnvolle

---

[19] http://www.eaad.net

Behandlungsmöglichkeiten befürwortet. Nicht gemessen wurde, ob die auf diese Weise erreichten Männer sich selbst als mögliche Betroffene wahrnehmen. Möglicherweise ist zwar deren allgemeines Verständnis für Depressionen gestiegen. Sie selbst würden eine solche Diagnose aber weiterhin nicht akzeptieren.

Als weiterer nachweisbarer positiver Effekt sei erwähnt, dass in der Testregion Nürnberg die Suizidrate innerhalb eines Jahres um 24% gesenkt werden konnte (Ärzteblatt 2007). Es ist auch hier nicht klar, in welchem Verhältnis Männer davon profitierten. Ebenso ist nicht zu messen, ob dies alleine auf die Kampagne zurückzuführen ist. Definitiv ist es jedoch ein Schritt in die richtige Richtung.

### 10.2.2 US-amerikanischer Raum: „Real men. Real depression."

Dem gegenübergestellt werden soll nun die US-Amerikanische Öffentlichkeitsarbeit des National Institute of Mental Health (NIMH) mit ihrer Kampagne *Real men. Real depression*.

Im Jahr 2003 wurde eine Kampagne mit Plakaten, Kino- und Radiobeiträgen lanciert, die sich speziell mit der Depression bei Männern beschäftigte. Unter dem Slogan *Real men. Real depression* stellten sich neun Männer unterschiedlichen Alters und unterschiedlicher Berufe mit ihrer echten Depressionsgeschichte vor. Die große Bandbreite der Lebensläufe ermögliche es, alle „Klischees" behandeln zu können und allen Vorurteilen zu begegnen. So kam darin ein Feuerwehrmann vor, genauso wie ein pensionierter Seargent der Air Force. Nach öffentlicher Meinung Berufe für „echte" Männer. Genauso aber auch ein Schriftsteller mit intellektueller Note.

Abbildung 19: Motiv Jimmy Brown, Firefighter[20]
Quelle: NIMH

In den Beiträgen erzählt jede Person in wenigen Worten seine persönliche Geschichte der Depression. Jeder Mann sollte sich zumindest in einer davon wieder finden.

---

[20] http://www.nimh.nih.gov/health/topics/depression/men-and-depression/public-service-announcements/nimh317.411_a_c7x10_jimmylj5.pdf

"En la comunidad latina tenemos una cultura de silencio".

*Abbildung 20: Motiv La Comunidad Latina[21]*
*Quelle: NIMH*

Im Jahr 2005 kam ein Beitrag in spanischer Sprache für lateinamerikanische Einwanderer hinzu. 2006 schließlich noch ein weiterer, der sich an amerikanische Ureinwohner richtet. Es war die erste US-amerikanische Kampagne dieser Art, welche bis zum Jahr 2006 lief. Als Merkmale hervorzuheben sind die direkten Ansprachen von Mann zu Mann, der Augenkontakt mit dem Betrachter, die Schilderung echter Schicksale mit echten Namen und Berufen. Nachteilig könnte die teilweise recht kleine Schrift gewertet werde, von der auf Plakaten als Blickfang eher abzuraten ist. Die klare hell / dunkel-Grafik könnte dies kompensieren. Möglicherweise wirkt das starke Zitat im Bild besser, als ein Slogan. Die Plakate enden mit *It takes courage to ask for help. These men (bzw. Name der Person) did.* Sie betonen damit, dass es für Männer keine Selbstverständlichkeit ist, nach Hilfe zu fragen und berücksichtigen damit diese typisch männliche Verhaltensweise.

Nach Informationen auf der NIHM-Internetseite wurde die Kampagne 14 Mio. mal im Internet aufgerufen, es wurden eine Million Druckmaterialien verteilt und es gingen 5.000 E-Mails und Telefonanrufe für weitere Informationen ein. Die Kampagne wurde insgesamt als großer Erfolg bewertet.

---

[21] *http://www.nimh.nih.gov/health/topics/depression/men-and-depression/public-service-announcements/nimh_spanishpsa.pdf*

## 11. Schlussbetrachtung und Fazit

In dieser Masterarbeit wurde die Depression einer gesundheitswissenschaftlichen Betrachtung unterzogen. Die epidemiologischen Daten haben gezeigt, dass Depressionen in den letzten Jahren zu einer großen volkswirtschaftlichen Belastung geführt haben. Je nach Studiendesign variieren die Ergebnisse; es wird von einer Punktprävalenz von 8% bis zu 20% depressiv erkrankter Menschen in Deutschland ausgegangen. Die Betroffenen stehen häufig noch im Berufsleben. Entsprechend nehmen auch die Arbeitsunfähigkeitstage aufgrund dieses Krankheitsbildes zu. Auffällig sind die Geschlechterdifferenzen. Statistisch sind Frauen 1,69-mal häufiger betroffen als Männer. In der Literatur wird darüber diskutiert, ob dies darauf zurückzuführen sei, dass Depressionen bei Frauen aufgrund des Diagnosesystems umfassender erfasst werden. Hierzu liegen klinische Erfahrungen vor, jedoch fehlt eine umfassende Studie.

Die Depression war lange Zeit als Krankheit unbekannt. Erst im 19. Jahrhundert begannen die Forschungen zu psychischen Krankheiten. Zur Jahrtausendwende verlor sie weitestgehend ihre stigmatisierende Wirkung und wurde in der Literatur als Volkskrankheit beschrieben. Ein Vergleich mit anderen schwerwiegenden und häufigen Krankheiten ergab, dass für die Depression die Bezeichnung „Volkskrankheit" zu Recht verwendet wird.

Die Analyse der Ursachenforschung hat verdeutlicht, dass die Überforderung des Menschen in der heutigen Gesellschaft eine häufig genannte Erklärung darstellt. Auf die Sicht des einzelnen Menschen bezogen, wurden die Auswirkungen individueller Ursachen betrachtet. Die Angst am Arbeitsplatz zu versagen oder krank zu werden ist für viele Menschen ein besonders belastendes Thema. Daher ist die Überforderung am Arbeitsplatz mit 40% auch die schwerwiegendste Ursache psychischer Erkrankungen.

Es wurde dargestellt, dass eine hohe Dunkelziffer nicht oder zu spät erkannter depressiver Erkrankungen zu vermuten ist. Vor allem Männer äußern eher organische Beschwerden, weshalb nur bei 51% der betroffenen Männer in der hausärztlichen Praxis die Diagnose Depression gestellt wird. Frauen gehen mit der Erkrankung offener um. Bei ihnen wird in 61% der Fälle richtig diagnostiziert.

Heute stehen zahlreiche Therapieverfahren zur Verfügung, welche ihre Wirksamkeit in Studien bewiesen haben. Psychologische und psychosoziale Modelle sowie biologische

Modelle gehen in ihrer Therapie von unterschiedlichen Ursachen und Voraussetzungen aus. Eine wichtige Voraussetzung ist die Mitarbeit des Betroffenen. Hier wurde gezeigt, dass vor allem Männer Schwierigkeiten haben, sich einem Therapeuten zu öffnen und über ihre Empfindungen zu sprechen.

Die Depression kann selten als eine isolierte Krankheit behandelt werden. Vorwiegend bei Männern ist eine zusätzliche Suchtproblematik diagnostizierbar. Die Komorbidität zwischen Depressionen und Alkoholabhängigkeit liegt bei 30% bis 60%. In der Literatur wird diskutiert, ob Alkoholismus das männliche Äquivalent der Depression darstellt. In der Statistik werden diese Fälle als Substanzmittelmissbrauch geführt, was eine weitere Erklärung für die geringere Fallzahl männlicher Depressiver darstellt.

65% bis 95% der Suizidfälle waren Schätzungen zufolge depressiv. Damit ist der Suizid die schwerwiegendste Auswirkung der Depression. Das Verhältnis zwischen Männern und Frauen bei vollzogener Selbsttötung beträgt in Deutschland etwa 3:1.

Typisch männliche Geschlechtereigenschaften sind nicht dienlich für die Inanspruchnahme von Hilfe. Sie führen eher zu einer Verdrängung des Problems. Hinzu kommen die in der Gesellschaft vermittelten Rollenbilder und –klischees, welche Männern keine Handlungs-alternativen aufzeigen. Möller-Leimkühler hat auf dieser Grundlage die Symptome männlicher Depression nach klinischen Erfahrungen zusammengefasst. Es zeigte sich eine deutliche Abweichung von den Kriterien des ICD 10, was als Beleg dafür gewertet wird, dass die Depression nach dem gängigen Diagnoseschema Männer nicht adäquat berücksichtigt und die Fallzahlen niedrig ausfallen.

Präventionsangebote für Männer sind zu wenig ausgeprägt. Zwar existieren eine Reihe guter theoretischer Konzepte, die Umsetzung in die Praxis ist jedoch derzeit mangelhaft. Zum Thema Männergesundheit wird zuwenig Forschung betrieben. Entsprechend haben Männer nicht genügend Kenntnisse über die Krankheit Depression. Eine staatliche Aufklärungskampagne könnte Männern ein realistisches Bild von Depressionen vermitteln und sie ausdrücklich zur Inanspruchnahme von Hilfe auffordern. Die aktuelle europäische Kampagne zu diesem Thema hat in ihrer evaluierten Testregion tatsächlich zu einer geschlechterübergreifenden Änderung persönlicher Einstellungen geführt. Nicht gemessen wurde, ob sich dies nur auf die Fremdbetrachtung anderer Betroffener bezog, oder ob Männer die Depression auch als Gefahr für sich selbst erkannten. Die europäische Kampagne hat die Eigenheiten der männlichen Depression nicht berücksichtigt. Ein Beispiel, wie dies möglich wäre, wurde mittels einer US-amerikanischen Kampagne vorgestellt.

Das Resümee lautet: Es besteht Forschungsbedarf hinsichtlich Depressionen in der männlichen Bevölkerung. Eigenschaften der Männer müssen in der wissenschaftlichen Weiterentwicklung von Therapie- und Hilfsangeboten stärkere Berücksichtigung finden. Es müssen zusätzliche Hilfsangebote entwickelt werden, um die hohe männliche Suizidrate zu verringern. Der Anfang könnte mit einer starken öffentlichen Medienkampagne getan werden, die sich speziell auf den Bereich der männlichen Depression bezieht.

# Literaturverzeichnis

Adam, C. (1998): Depressive Störungen in Alter. 1. Auflage, Weinheim und München. Juventa Verlag.

Ärzteblatt (2007): Europäische Allianz gegen Depression ausgezeichnet [www-Dokument]. URL: http://www.aerzteblatt-studieren.de/doc.asp?docid=106511 Zuletzt eingesehen am 03.01.2009.

Barmer-Ersatzkasse Presseinformation (2008): Depressionen. Erkennen Verstehen Behandeln. [www-Dokument] URL: http://www.barmer.de/barmer/web/Portale/Versichertenportal/Presse-Center/Pressemitteilungen/080520_20depression/pressemappe,property=Data.pdf Zuletzt eingesehen am 29.11.2008

Becker et. al. (2008): Versorgungsmodelle in Psychiatrie und Psychotherapie. 1. Auflage, Stuttgart: W. Kohlhammer.

Betriebskrankenkassen (BKK) Bundesverband (Hg.) (2008): BKK Gesundheitsreport 2008 – Seelische Krankheiten prägen das Krankheitsgeschehen [www-Dokument] URL: http://www.bkk.de/ps/tools/download.php?file=/bkk/psfile/downloaddatei/50/WEB_Gesund4 925340e8b23a.pdf&name=WEB_Gesundheitsreport2008_kompletter%20Report.pdf&id=110 3&nodeid=1103 Zuletzt eingesehen am 09.12.2008

Berger, H. (2003): Depression und Suizidalität – Erkennung und Behandlung in der Hausärztlichen Praxis. Konsensuspapier der Ärztekammer für Oberösterreich. [www-Dokument] URL: http://www.aerztliches-qualitaetszentrum.at/upload/guidelines/depression-2003.pdf Zuletzt eingesehen am 21.12.2008

Berufsverband Deutscher Psychologinnen und Psychologen (2008): Psychische Gesundheit am Arbeitsplatz in Deutschland. 1. Auflage, Berlin: bdp-Verband.

Bischof-Köhler, D. (2006): Von Natur aus anders – Die Psychologie der Geschlechterunterschiede. 3. Auflage, Stuttgart: W. Kohlhammer-Verlag

Breyer-Pfaff, U., Gaertner, H. u. Baumann, P. (2005): Antidepressiva – Pharmakologie, therapeutischer Einsatz und Klinik der Depression. 2. Auflage, Stuttgart: Wissenschaftliche Verlagsgesellschaft

Buchholz, M (2003): Relationen und Konvergenzen – Neue Perspektiven der Psychoanalyse. In: Psychotherapeutenjournal Nr. 2/2003. S. 87- 96

Bundesverband Angehöriger psychisch Kranker e. V. – BApK- (Hg.) (2008): Mit psychisch Kranken leben. 1. Auflage der Neuausgabe, Bonn: Balance Buch und Medien Verlag.

Deist, H. (2006): Psychotherapeutisches Handeln zwischen Wissen und Nichtwissen. In: Gesellschaftliche Verantwortung und Psychotherapie. 1. Auflage, Gießen. Psychosozial-Verlag. S. 225-233.

Deutsche Angestellten Krankenkasse Versorgungsmanagement (Hg.) (2005): DAK Gesundheitsreport 2005 [www-Dokument] URL: http://www.presse.dak.de/ps.nsf/DruckFormSeite?OpenForm&ParentUNID=38A5A5A6BBF 15309C1256FE0005578E2 Zuletzt eingesehen am 01.12.2008

Deutsches Institut für medizinische Dokumentation und Information im Auftrag des Bundesministeriums für Gesundheit (2008): ICD 10 – GM Version 2009 Ausgabe gem. SGB V. Band I – Systematisches Verzeichnis. 1. Auflage, Gießen: Offsetdruck Köhler.

Deutscher Bundestag (2001): Unterrichtung durch die Bundesregierung. Gutachten 2000/2001 des Sachverständigenrates für die Konzertierte Aktion im Gesundheitswesen. Band III [www-Dokument] URL: http://dip21.bundestag.de/dip21/btd/14/068/1406871.pdf Zuletzt eingesehen am 07.12.2008

Döge, R. (2006): G`sund samma - Wie gefährlich ist die Männerrolle für die Gesundheit? In: Gesundheitsbeirat der Landeshauptstadt München (Hg): Volkskrankheit Depression. S. 31-37. [www-Dokument] URL: http://www.gesundheitsbeirat-muenchen.de/html/pdf/depression_10112008.pdf Zuletzt eingesehen am 30.11.2008

Ehrenberg, A. (2008): Das erschöpfte Selbst. 1. Auflage, Frankfurt am Main: Campus Verlag.

Fäh, M. (2004): Der perfekte Mann. 1. Auflage. Oberhofen am Thurnersee: Zytglogge Verlag.

Faltenmaier, T. (2004): Männliche Identität und Gesundheit. Warum Gesundheit von Männern? In: Thomas Altgeld (Hg.): Männergesundheit – Neue Herausforderungen für Gesundheitsförderung und Prävention. Weinheim und München: Juventa Verlag. S. 11-34.

Frankfurter Allgemeine Sonntagszeitung (2008): Das Universum frisst seine Meister. Nr. 40R, S. 67.

Freudenberg, P. (2005): Aufklärung zur Krankheit Depression. Auswirkungen einer Aufklärungskampagne zur Krankheit Depression in Nürnberg auf Wissen und Einstellungen in der Bevölkerung. Dissertation zum Erwerb des Doktorgrades der Humanbiologie an der Medizinischen Fakultät der Ludwig-Maximilians-Universität zu München.

Friebel, V. u. Puhl, W. (1997): Wirksame Hilfe bei Depressionen. 1. Auflage, Augsburg: Weltbild-Verlag.

Hardt et. al. (2006): Gesellschaftliche Verantwortung und Psychotherapie. 1. Auflage, Gießen: Psychosozial-Verlag.

Haubl, R. (2006): Depression und Gesellschaft. In: Gesundheitsbeirat der Landeshauptstadt München (Hg): Volkskrankheit Depression. S. 11-21. [www-Dokument] URL: http://www.gesundheitsbeirat-muenchen.de/html/pdf/depression_10112008.pdf Zuletzt eingesehen am 30.11.2008

Heifner, C. (1996): Women, Depression, and Biological Psychiatry: Implications for Psychiatric Nursing. In: Perspectives in Psychiatric Care, Nr. 32, S. 10-18.

Hell, D. (2007): Depression – Was stimmt? 1. Auflage, Freiburg im Breisgau: Verlag Herder.

Helmchen, H, Rafaelsen, O. (1992): Depression, Melancholie, Manie – Ein Buch für Kranke und Angehörige. 2. Auflage, Stuttgart: Trias Verlag.

Hippmann, C. (2007): Das Männerbild und der Zeitschriften- und Fernsehwerbung. 1. Auflage, Leipzig: Engelsdorfer-Verlag.

Hoffmann, N. u. Schauenburg H. (2000): Psychotherapie der Depression. 1. Auflage, Stuttgart: Thieme Verlag.

Hollstein, W. (2008): Was vom Manne übrig blieb – Krise und Zukunft des starken Geschlechts. 1. Auflage, Berlin. Aufbau-Verlagsgruppe.

IKK-Bundesverband (2008) (Hg.): Arbeit und Gesundheit im Handwerk – Daten, Fakten und Analyse 2007. 1. Auflage, Bergisch Gladbach: Wende-Verlag.

Jacobi, F, Klose, M, Wittchen, H.-U. (2004): Psychische Störungen in der deutschen Allgemeinbevölkerung: Inanspruchnahme von Gesundheitsleistungen und Ausfalltage, S. 736-744. [www-Dokument]
URL: http://www.tu-chemnitz.de/phil/psych/professuren/klinpsy/files/jacobi-p/jacobi-klose-wittchen-2004.pdf
Zuletzt eingesehen am 28.11.2008.

Jacobi, G. (2003): Männergesundheit und Männerarzt – Anmerkungen zu einer Trendwende. In: Jacobi (Hg.): Praxis der Männergesundheit. 1. Auflage, Stuttgart: Georg Thieme Verlag. S. 2-9.

Jacobi, G. (2003): Männerwelten. In: Jacobi (Hg.): Praxis der Männergesundheit. 1. Auflage, Stuttgart: Georg Thieme Verlag. S. 10-15.

Jacobi, G. (2003): Gesundheit erwerben und behüten - Salutogenese. In: Jacobi (Hg.): Praxis der Männergesundheit. 1. Auflage, Stuttgart: Georg Thieme Verlag. S. 314-316.

Jungkurth, C. (2005): Geschäftssüchtig – Arbeitssucht in Deutschland. 1. Auflage. Berlin: Logos-Verlag

Kaspar, S. (2001): Depressive Männer sind anders. In: Ärzte-Woche Nr. 4/2001. [www-Dokument]
URL: http://www.aerztewoche.at/viewArticlePrintDetails.do?articleId=15
Zuletzt eingesehen am 18.12.2008.

Kipp, J, Unger, H, Wehmeier, P (2006): Beziehung und Psychose. 2. Auflage, Gießen: Psychosozial-Verlag.

Klein, Michael (2001): Suchtstörungen. In: Brinkmann-Göbel (Hg.): Handbuch für Gesundheitsberater. 1. Auflage, Bern: Verlag Hans Huber. S. 227-237.

Krech et. al. (1992): Grundlagen der Psychologie. 1. Auflage, Weinheim: Psychologie Verlags Union.

Kutter et. al. (Hg) (2006): Der therapeutische Prozess - Psychoanalytische Theorie und Methode in der Sicht der Selbstpsychologie. 1. Auflage Gießen: Psychosozial-Verlag.

Lorenz, R. (2003): Salutogenese – Grundwissen für Psychologen, Mediziner, gesundheits- und Pflegewissenschaftler. 1. Auflage, München, Basel: Ernst Reinhardt Verlag.

Marcotte, D (1999): Gender Differences in Adolescent Depression: Gender-Typed Characteristics or Problem-Solving Skills Deficits? [www-Dokument] URL: http://findarticles.com/p/articles/mi_m2294/is_1_41/ai_57590491 Zuletzt eingesehen am 04.01.2009.

Medical Tribune (2008): Depression entpuppte sich als Hirn-Lymphom. Nr. 41, S. 21.

Müller, W. u. Volz, H. (2006): Depression und Komorbide Störungen. 1. Auflage, Neu-Isenburg: LinguaMed Verlags-GmbH

Möller-Leimkühler, A. (2007): Volkskrankheit Depression. In: Gesundheitsbeirat der Landeshauptstadt München (Hg): Volkskrankheit Depression. S. 22-45. [www-Dokument] URL: http://www.gesundheitsbeirat-muenchen.de/html/pdf/depression_10112008.pdf Zuletzt eingesehen am 30.11.2008

National Institute of Mental Health (2008): Background on Education Materials [www-Dokument] URL: http://www.nimh.nih.gov/health/topics/depression/men-and-depression/background-on-education-materials.shtml Zuletzt eingesehen am 03.01.2009

Neumann, B. u. Dietrich D. (2005): Depression ist kein Schicksal. 1. Auflage, München: Knaur Ratgeber Verlage.

Ortberg, J, Tan, S.-Y (2006): Was die Seele befreit – Wege aus der Depression. 1. Auflage, Asslar: Gerth Medien GmbH.

Pourshirazi, S. (2008): Suizidalität und Beziehung  - eine theoretische und empirisch-hermeneutische Studie. 1. Auflage, Gießen: Psychosozial-Verlag.

Richter, H. (2006): Die Krise der Männlichkeit in einer unerwachsenen Gesellschaft. 1. Auflage, Gießen: Psychosozial-Verlag

Robert-Koch-Institut (Hg.) (2002): Beiträge zur Gesundheitsberichterstattung des Bundes. Der Bundes-Gesundheitssurvey – Baustein der Gesundheitssurveillance in Deutschland. 1. Auflage, Berlin: Ohne Verlagsangabe.

Robert-Koch-Institut (Hg.) (2006): Gesundheit in Deutschland. 1. Auflage, Berlin: Ohne Verlagsangabe.

Rosen, L. u. Amador X (2002): Wenn der Mensch den Du liebst depressiv wird. 1. Auflage, Reinbek: Rowohlt Taschenbuch Verlag.

Rudolf, G (2000): Der depressive Patient in der ärztlichen Sprechstunde. 4. Auflage, Wiesbaden: Deutscher Universitäts-Verlag.

Rübenach, S. (2007): Todesursache Suizid. In: Statistisches Bundesamt (Hg.): Wirtschaft und Statistik, Nr. 10/2007, S. 960-971.

Simhandl, C, Mitterwachauer, K (2007): Depression und Manie. 1. Auflage, Wien: Springer Verlag.

Soyka, M. u. Lieb, M. (2004): Depression und Alkoholabhängigkeit – Neue Befunde zu Komorbidität, Neurobiologie und Genetik. In: Journal für Neurologie, Neurochirurgie und Psychiatrie. Nr. 5/2004. S. 37-46.

Statistisches Bundesamt (Hg.) (2006): Gesundheit - Ausgaben, Krankheitskosten und Personal 2004 Presseexemplar. 1. Auflage, Wiesbaden: Destatis

Steger, F. (Hg.) (2007): Was ist krank? – Stigmatisierung und Diskriminierung in Medizin und Psychotherapie. 1. Auflage, Gießen: Psychosozial-Verlag.

Summer, E. (2008): Macht die Gesellschaft depressiv? - Alain Ehrenbergs Theorie des erschöpften Selbst im Licht sozialwissenschaftlicher und therapeutischer Befunde. 1. Auflage, Bielefeld: transcript Verlag.

Tölle, R. (2000): Depressionen – Erkennen und Behandeln. 1. Auflage, München: Verlag C. H. Beck.

Unger, H.-P. u. Kleinschmidt, C (2007): Bevor der Job krank macht. 4. Auflage, München: Kösel-Verlag.

Wittchen, H.-U. (1999): Affektive, somatoforme und Angststörungen in Deutschland – Erste Ergebnisse des bundesweiten Zusatzsurveys „Psychische Störungen". In: Gesundheitswesen Nr. 61. Sonderheft 2. S. S216-S222.

Wolfersdorf, M (2007): Männerdepression. In: der mann – Wissenschaftliches Journal für Männergesundheit. Nr. 2/2007. S. 19-20.

Wolpert, L (2008). Anatomie der Schwermut. 1. Auflage, München: Verlag C.H. Beck.

73